novembre 2013

SOEURS D'ÂMES

De la même auteure

Carnets d'une désobéissante, Stanké, 2011.

GENEVIÈVE
ST-GERMAIN

SŒURS D'ÂMES

Catalogage avant publication de Bibliothèque et Archives nationales du Québec et Bibliothèque et Archives Canada

St-Germain, Geneviève, 1958-
Sœurs d'âmes
ISBN 978-2-7604-1143-2
I. Titre.
PS8637.A456S63 2013 C843'.6 C2013-941733-8
PS9637.A456S63 2013

Édition : Johanne Guay
Direction littéraire : Monique H. Messier
Révision linguistique : Isabelle Lalonde
Correction d'épreuves : Sabine Cerboni
Couverture : Axel Pérez de León
Grille graphique intérieure : Chantal Boyer
Mise en pages : Clémence Beaudoin
Photo de l'auteure : Stéphanie Lefebvre

Remerciements
Nous reconnaissons l'aide financière du gouvernement du Canada par l'entremise du Fonds du livre du Canada pour nos activités d'édition.
Nous remercions le Conseil des Arts du Canada et la Société de développement des entreprises culturelles du Québec (SODEC) du soutien accordé à notre programme de publication.
Gouvernement du Québec - Programme de crédit d'impôt pour l'édition de livres - gestion SODEC.

Les Éditions internationales Alain Stanké
Groupe Librex inc.
Une société de Québecor Média
La Tourelle
1055, boul. René-Lévesque Est
Bureau 300
Montréal (Québec) H2L 4S5
Tél. : 514 849-5259
Téléc. : 514 849-1388
www.edstanke.com

Dépôt légal - Bibliothèque et Archives nationales du Québec et Bibliothèque et Archives Canada, 2013

ISBN : 978-2-7604-1143-2

Distribution au Canada
Messageries ADP
2315, rue de la Province
Longueuil (Québec) J4G 1G4
Tél. : 450 640-1234
Sans frais : 1 800 771-3022
www.messageries-adp.com

Diffusion hors Canada
Interforum
Immeuble Paryseine
3, allée de la Seine
F-94854 Ivry-sur-Seine Cedex
Tél. : 33 (0)1 49 59 10 10
www.interforum.fr

Ma gratitude à Monique H.,
ma directrice littéraire, bonne sorcière
qui m'a accompagnée jusque dans ses rêves
et a permis au livre de se manifester
comme je le souhaitais.

« Quand une âme est parvenue à un amour
qui emplisse également tout l'univers,
cet amour devient ce poussin aux ailes d'or
qui perce l'œuf du monde. »
SIMONE WEIL, *Attente de Dieu*

1. Celle qui va

« Qui donne à manger aux affamés réconforte sa propre âme : ainsi parle la sagesse. »
NIETZSCHE, *Ainsi parlait Zarathoustra*

Cinq heures du matin, le fond de l'air était glacial, le ciel, d'un mauve fumé. Laurence s'arrêta quelques secondes au bruit que faisaient ses pas sur la neige craquante. Un son venu de l'enfance, des matins d'école et des débuts de soirée de janvier où l'on marche, haletante, vers la maison d'un amoureux. Malgré sa parka de cuir, elle frissonna en mettant la clef dans la serrure de sa camionnette Mercedes déglinguée. Il y avait belle lurette que le fameux sigle avait disparu du capot. La grosse étoile de métal était une prise de choix pour les vandales. Son vol, sans doute un geste de rage face à un signe ostentatoire de richesse. En grattant la glace sur la vitre tandis que le moteur chauffait, elle se concentra sur sa prière intérieure. Certains jours, cet exercice de grande aménité se révélait bien exigeant pour Laurence. Mais elle s'y appliquait avec constance. Jamais elle ne commençait sa journée sans ce rappel d'intentions.

> « Fais de moi un instrument de ta paix, guide-moi, inspire-moi, fais-moi voir la beauté de tous ceux que je rencontrerai aujourd'hui. »

Elle disait merci à l'Univers chaque fois que le tacot démarrait. En quittant la cour, elle remarqua que les poubelles avaient été renversées et taguées d'un « Décrissez !!! » jaune néon. Elle n'y accorda pas trop d'attention, elle était pressée. Elle prit les rues de plus en plus cahoteuses du centre-ville, croisa des fêtards attardés, les petits prostitués à casquette du village gai, une fille blême qui sortait du guichet automatique en remettant une seringue dans son sac, de vieux barbus trop rétamés, le poil raide de frimas, qui n'osaient pas venir chercher pitance à La Maison.

Parfois, dans la lueur des petits matins, la fraîcheur du vent d'avril, la moiteur de juillet, l'obscurcissement de novembre, elle devait combattre l'ontologique tristesse qui la prenait aux tripes, intercéder en elle-même pour garder la paix de l'âme. Car s'ouvrir à la tendresse de son cœur rend vulnérable à toute la souffrance du monde. Elle ne voulait plus rester toute seule dans cette solitude. Elle voulait marcher dans le monde avec elle. Le cœur ouvert. La plupart du temps, elle était envahie d'une indicible joie. Elle avait alors cent idées pour son menu du midi. Ragoûts épicés et consistants, casseroles de pâtes gratinées dont on peut étirer le fromage, potée de viandes et de légumes, soupes de saison comme de la pénicilline pour le corps et l'âme. Que du soutenant, du réconfortant auquel s'ajoutaient souvent clafoutis et gâteaux, des douceurs, qui agissaient comme des baumes sur les cœurs brûlés du jeune peuple de la rue. Mais cela dépendait de ce que la Providence accorderait. Elle avait appris à lui faire confiance.

Les jeudis matin, Laurence faisait sa tournée des épiceries et des marchés publics en quête des vivres que les commerçants préparaient à son intention. Des aliments pour la plupart encore bien en deçà du seuil de péremption, que les caprices des consommateurs et les impératifs du marketing avaient décrété impropres à la consommation. Non, pas aujourd'hui, elle n'allait pas ruminer sur l'incroyable propension au gaspillage d'un monde dont certains annonçaient régulièrement la fin des ressources. Depuis que la radio de la camionnette avait rendu l'âme, elle n'écoutait pas non plus les prophètes de malheur et les roquets réactionnaires qui sévissent à ces heures où chacun se prépare à affronter sa journée. Pas plus qu'elle ne lisait les palmarès de faits divers sordides étalés à la une du journal. Dans un monde où les capitaines quittent les navires naufragés avant les passagers. Où des politiciens conseillent de mettre à la disposition des prisonniers des cordes afin qu'ils puissent se suicider dans leurs cellules si l'envie leur en venait parce qu'ils ne méritent pas de vivre et coûtent cher au bon contribuable. Lorsque les policiers frappent comme s'il n'y avait pas de lendemains et que n'importe quel larbin populiste peut tenir sans honte et sans reproche des propos parfaitement déshumanisants au nom d'une sacro-sainte exigence économique, il était presque normal de ne pas décolérer. Pour l'indignation, elle avait donné. Les médias transmettent aux gens tant de messages inutiles, voire nuisibles, sans profit pour le cœur ni pour la conscience. Le mental contient déjà trop de ce bruit pour en ingurgiter davantage. Elle préférait écouter de vieux succès des Rolling Stones, les chœurs virtuels d'Eric Whitacre et du reggae sur son iPod. Il lui arrivait aussi d'être comme submergée par une chanson. Elle l'écoutait alors en boucle et en chantait des extraits comme un mantra. Mais à tue-tête ! En ce moment, c'était « Mais où sont les règles du jeu qu'on y mette le feu », de Louis-Jean Cormier.

« Non, non. Tout est parfait, tout est parfait. » Chaque chose et chaque individu sont à la place où la Source les a mis.

Elle en était venue à accepter cette idée qui donnait une forme de cohérence au monde. Ce qui ne l'empêchait pas d'être atteinte viscéralement par l'injustice, la pauvreté, l'illettrisme, l'ignorance, multiples facettes de l'indigence. C'était son écœurement, son sentiment d'impuissance face à cette indécrottable misère qui lui avait fait prendre le chemin de La Maison, puis y demeurer.

Un jour, en cherchant un énième lieu de retraite pour un week-end, Laurence était tombée sur un article qui racontait l'histoire vaguement ésotérique de ce petit groupe de laïques qui se renouvelait comme par magie quels que soient l'époque et le climat social. Une sorte de communauté spirituelle composée de femmes qui avaient temporairement quitté leur vie dite « active » pour méditer, vivre et travailler ensemble à rassembler la lumière dispersée, à ramener chez eux ceux qui s'étaient perdus, à tenter de réparer ce qui avait été brisé. À transformer le monde une personne à la fois. En commençant par elles-mêmes, car il est difficile, sinon impossible, d'éprouver de la compassion pour ses semblables quand on n'en a aucune envers soi-même. Si cela était su - et compris, croyaient-elles profondément -, les hargneux, les gueulards, les enragés, ceux qui prônent la loi et l'ordre à tout prix, tous ces malheureux qui veulent réprimer et punir les autres seraient drôlement moins nombreux. Mais bon, il fallait se changer soi-même d'abord pour être le moins discordante possible. Travailler sur soi pour le bien des autres, la tâche d'une vie. Révolution du cœur et service étaient le credo de ces improbables compagnes, de ces femmes dans la ville. Pourtant, il aurait été difficile d'imaginer personnalités plus singulières que ces huit-là. À ce moment, Giselle, Linda, Hélène, Marie-Maude,

Laurence, les dernières arrivées Nathalie et Morgane, et bien sûr Régine, la fondatrice de l'œuvre, vivaient à La Maison à plein temps. Elles avaient fait le pacte de garder leurs cœurs vibrants à l'unisson malgré les brèves tensions, les inévitables désaccords entre elles et, surtout, les interférences venant de l'extérieur.

2. *Gimme Shelter*

« Oh, a storm is threat'ning
My very life today
If I don't get some shelter
Oh yeah, I'm gonna fade away. »
THE ROLLING STONES, *Gimme Shelter*

La Maison se tenait sur deux étages entre de petites rues en pavés du Vieux-Montréal. Sa grande cour intérieure et fleurie comme un havre de beauté au cœur du tumulte de la ville avait une valeur inestimable. Une partie publique, au rez-de-chaussée, comprenant la cuisine, le réfectoire et des sanitaires, servait aux œuvres. Et l'étage accueillait ce qu'elles avaient baptisé en rigolant le Couvent : des chambrettes qui ne rappelaient en rien celles des pensionnaires d'antan, une immense salle d'eau, une bibliothèque et, sous un puits de lumière, une pièce pour la méditation et les rituels. Cette maison bicentenaire avait toujours appartenu à la famille de Régine, la plus vieille d'entre elles, qui l'avait récupérée et en avait entrepris les restaurations au début des années 1980, au moment où elle avait formé un groupe de femmes pour la première fois.

Le cœur de La Maison était la cuisine avec sa table de bois massif à pieds tournés, sorte d'îlot de préparation, et son immense cuisinière au gaz. Sans oublier la salle à manger aux couverts bien mis pouvant accueillir une cinquantaine de personnes pour la soupe populaire du midi, les réunions et les consultations diverses. Les filles avaient ouvert leurs portes et les gardaient ainsi... En d'autres temps, on aurait sans doute brûlé ces bonnes sorcières. Aujourd'hui encore, certains commençaient à se formaliser de leur action et de leur présence dans ce quartier en plein boom immobilier, couru par les touristes friqués et les nouveaux riches du multimédia.

3. Celles qui nourrissent

« Si vous n'êtes pas capable d'un peu de sorcellerie, ce n'est pas la peine de vous mêler de cuisine. »
COLETTE

Aidée de Marie-Maude et de Morgane, Laurence vida la vieille camionnette. Lourds ballots de légumes à trier, quintaux de produits laitiers, de conserves, sacs de viennoiseries et de pains plus ou moins rassis. À force de trimballer les victuailles, de soulever marmites et chaudrons, Laurence s'était fait des bras d'enfer. Elle enleva son chandail de laine rugueux, rajusta sa camisole, attacha ses longs cheveux aile de corbeau bien lisses en un approximatif chignon et donna ses instructions. Ce matin-là, quatre filles s'activaient en cuisine la tête légère, l'esprit généreux et le cœur large. Entre le claquement des couteaux sur les planches à découper, les crépitements et frémissements du bouillon, les rires et les jurons bien sentis de Giselle, qui cherchait toujours quelque chose, ménopause oblige, chacune se concentrait sur la tâche à accomplir. Laurence n'oubliait jamais l'importance du geste de nourrir les autres. Elle ne lésinait sur aucun effort, arrivant même à transformer les plus modestes ingrédients en plats somptueux.

« Que ces aliments nourrissent le corps et l'esprit de tous ceux qui les mangeront, qu'ils les apaisent, les consolent et les réconfortent. Qu'ils éloignent la colère et la maladie. Qu'ils leur redonnent courage. »

Ce midi, ce serait la fameuse soupe aux cailloux et le pouding Touski, des classiques de La Maison. Ce qu'il y avait de pratique avec ces plats, c'est qu'ils permettaient d'utiliser une grande variété de produits récupérés. Laurence aimait bien le fait qu'à partir de presque rien, d'attention et de bienveillantes intentions, on pouvait, d'une certaine manière, toucher le cœur des gens. Pour elle, réconforter était l'essence de l'hospitalité.

La soupe aux cailloux

En hiver, sur une base d'oignons rissolés, de pommes de terre, de navets, de carottes et de poireaux, Laurence ajoutait, en fonction de sa récolte, les mal-aimés topinambours et céleris-raves, du persil, du cerfeuil, des grains de poivre et des feuilles de laurier. La cuisinière prenait grand soin de ne rien gaspiller et de ne pas faire de déchets inutiles. Fanes et épluchures, quand cela était possible, ajoutaient une profondeur de goût à ses recettes. Puis elle mettait du lard fumé, des saucisses, des poulets entiers. Elle mouillait le tout avec plusieurs litres d'eau ou de bouillon. La particularité de cette roborative potion tenait au fait que l'on devait y ajouter quelques cailloux bien nettoyés pendant les trois heures que durait la cuisson. Chaque caillou de rivière avait été méticuleusement choisi par Laurence pour sa forme harmonieuse et ses bonnes vibrations. L'ébullition douce permettait aux galets en perpétuel mouvement d'agir comme des pilons pour écraser les légumes, lisser la texture et répartir les saveurs.

LE POUDING TOUSKI (TOUT-CE-QUI-TOMBE-SOUS-LA-MAIN)

Dans de grands plats rectangulaires bien beurrés étaient superposées des tranches de brioche, de pain ou de croissant rassis qu'il suffisait de laisser tranquillement s'imbiber de costarde à base d'œufs entiers, de jaunes, de vanille, de crème, de lait, de cannelle, de muscade et de sucre. Puis, le néo-pouding au pain allait au four une petite demi-heure à 325 degrés. La touche spéciale de Laurence consistait à le badigeonner de marmelade d'oranges réchauffée, parfaitement sirupeuse, et de remettre au four dix minutes pour lui donner cette belle couleur ambrée qui faisait toute la différence. Les grands jours, le Touski était accompagné de crème fouettée.

Enfin, les mets étaient apportés aux tables dans de grands plats anciens. Bouillon soyeux, légumes et viandes servis séparément. Les légumes étaient agrémentés de beurre et les viandes, de moutarde forte et de cornichons bien vinaigrés. Le pouding était disposé dans des bols individuels. Pour elle, la beauté des plats était un élément essentiel du plaisir qu'elle comptait apporter aux convives, si démunis soient-ils. Au-delà de la nourriture, c'étaient les attentions des huit femmes, leur absence de jugement, leurs rires qui faisaient de La Maison un lieu couru. Quand les hommes et les femmes se retrouvaient bien assis dans la grande salle claire et qu'ils étaient servis avec affection, leurs malheurs s'amenuisaient temporairement, leurs cœurs se reposaient. Ils se sentaient attendus et aimés, et regagnaient ainsi une part de dignité.

4.

Déjà en enfilant les petites rues du Vieux-Montréal en direction de La Maison, Robert s'était senti suivi. Pourtant, il avait bien pris ses médicaments avant de quitter le refuge pour sans-abri où il passait ses courtes nuits. En tournant sur la rue de la Commune, il avait vu un VUS noir surgir de nulle part et rouler lentement derrière lui, en faisant des embardées sur le trottoir. Il avait accéléré le pas, du moins, autant que son sac à dos le lui permettait.

Arrivé essoufflé à La Maison, l'itinérant avait eu besoin d'être rassuré. Il parla du gros camion noir aux autres qui attendaient l'ouverture des portes pour le meilleur repas de midi en ville. On l'entendit avec un mélange d'incrédulité et de moquerie. Ses hallucinations et ses délires étaient bien connus de tous. Anyway, il en reparlerait à Giselle, elle au moins l'écoutait pour de vrai, sans avoir l'air de douter de sa parole.

5. Celle qui ne jugeait plus

« Le langage muet de cœur à cœur vaut tous les langages. »
RAMANA MAHARSHI

Giselle était arrivée à La Maison à la fin d'une longue carrière de thérapeute et de travailleuse sociale, alors qu'elle avait l'impression que sa pratique tournait en rond. Toujours les mêmes histoires d'abandon, de trahison, de violence. Tous ces cœurs amochés, ces ego torturés, cette souffrance qui prenait rarement du répit. Les drames personnels ne cessaient de se répéter dans leur éprouvante banalité. Seuls les noms des protagonistes changeaient.

Elle avait acquis la certitude que si on garde secrètes nos expériences laides, pénibles, non approuvées par la société, si elles ne sont pas lavées par nos larmes, exposées à la chaleur de nos cœurs et à la lumière de nos consciences, elles se reproduiront de génération en génération. Qu'en fait, la plupart des gens ne font que répéter les traumatismes non réglés de leurs ancêtres. Indéfiniment. Pour elle, même si chaque âme avait choisi de s'incarner dans telle ou telle famille, c'étaient aussi les lignées paternelle et maternelle qui fondaient notre existence. Ce qui avait été vécu par les parents et les aïeux déterminait la vie en grande partie. Ils avaient transmis des limitations, des traumatismes, mais aussi des compétences et des vocations. Chacun de ses clients était l'héritier d'une histoire. En les traitant, elle souhaitait les voir passer d'une totale ignorance de leurs origines à un état accru de conscience et de libération. Surtout, elle voulait, avec eux, briser des cycles de misère affective et préparer un avenir plus harmonieux pour ceux qui les suivraient. Car si on met de la lumière sur ses propres problèmes, on se guérit soi-même, ce qu'elle faisait au jour le jour. C'était l'inéluctable condition pour soigner les autres autour d'elle.

Mais elle espérait davantage, pensait-elle, faire plus, retrouver son idéal de jeunesse. Changer le monde. Giselle avait l'intuition qu'en groupe de sages énergies rassemblées pouvaient modifier le cours de situations en apparence matérielles. Mais elle n'en connaissait pas exactement l'art et la manière. C'est aussi pour cela qu'elle avait rejoint La Maison, bien connue du cercle de méditants auquel elle appartenait déjà.

Son expérience et sa carrière lui avaient appris à regarder au-delà de tout jugement. C'est ce que Robert ressentait et qui le faisait venir vers elle pour lui faire l'inénarrable récit de ses plus tortueuses pensées. « Hey, Giselle ! J'ai peur, j'ai peur ! Je suis suivi tout partout. Les deux gars dans le gros truck noir, ils sont dans l'armée du mal. »

Une guérisseuse écoute davantage qu'elle ne pose de questions ou ne prodigue de conseils. Pour Giselle, connaître véritablement quelqu'un consistait à venir tout près de lui et à lui ouvrir son cœur. Elle préférait entrer en intimité avec eux sans essayer de les définir ni de les contrôler. Cette ouverture consciente et inconditionnelle était aussi son moyen de se prémunir contre l'absence d'amour en général. Elle avait cessé depuis longtemps de se demander pourquoi telle ou telle chose existait. Son job n'était pas de spéculer, mais d'agir pour réduire la souffrance. Elle donnait à qui demandait, et quand on la remerciait elle éprouvait toujours de la gratitude.

En fait, la plupart du temps, Giselle priait. C'était tout simple. Il lui suffisait de se déposer dans une puissance plus grande que la situation et de répéter sa prière comme elle l'aurait fait pour un mantra.

Variation sur une prière hawaïenne (Ho'oponopono)

Je t'aime
Je suis désolée
S'il te plaît

Pardonne-moi
Que les mémoires qui te font souffrir
s'effacent
Que les mémoires qui me font témoin
de ta souffrance s'effacent

Au-delà de toutes les théories, elle avait maintes et maintes fois constaté qu'en période de crise cette invocation venait à bout de l'insanité et de la peur. Elle agissait comme un baume.

Métissée, Giselle disait en blague : « Je suis brune, pas noire, j'ai même des taches de rousseur ! » Réconfortante dans l'ampleur du geste et la justesse affective de la parole, à cinquante ans passés, elle avait adopté un street style - baskets et hoodies de yo - qui, loin de la rendre ridicule, lui donnait une gueule folle. Une femme sculpturale, les cheveux noués en dreadlocks au sommet de la tête, les mains calmement posées sur le front d'un homme dont le visage était plein de tics, les yeux égarés. Il y avait quelque chose d'irrésistible dans sa manière de le toucher, comme si ses mains étaient une extension de son cœur et qu'elle n'avait rien d'autre à faire au monde que de s'occuper de cet homme et de lui tenir la tête.

Ayant réussi à calmer Robert, elle put lui conseiller la plus grande prudence. Elle lui demanda de l'avertir tout de suite si cela se reproduisait. En gagnant le réfectoire pour le service du dîner, elle se promit de parler aux autres de la mésaventure de Robert.

6. La règle des huit

« Sois comme l'eau courante
pour la générosité et l'assistance.
Sois comme le soleil pour l'affection
et la miséricorde.
Sois comme la nuit pour la couverture
des défauts d'autrui.
Sois comme la mort pour la colère
et la nervosité.
Sois comme la terre pour la modestie
et l'humilité.
Sois comme la mer pour la tolérance.
Ou bien parais tel que tu es
ou bien sois tel que tu parais. »
RUMI

Qu'est-ce qui avait bien pu inciter ces huit femmes à s'engager à vivre ensemble dans la même maison pour méditer, prier, écouter et agir dans le monde ? Que cherchaient-elles ? Pourquoi avaient-elles souhaité changer si radicalement leurs vies ? Au début, certaines avaient craint que La Maison ne soit un ramassis de femmes ennuyeuses aux visages mornes et aux idées étroites. La réalité était tout autre. Chacune des filles avait été choisie selon le plan de Régine en fonction de sa capacité à être assez transparente, assez silencieuse et assez compatissante pour laisser émerger sa vérité profonde. Nul besoin d'être parfaite, il fallait chercher à évoluer, à se défaire de sa carapace, des entraves de son ego. Pour Régine, c'était là le seul combat à engager, le seul véritable emploi à plein temps pour quiconque. Mais c'était un travail de dentellière, alors qu'il y avait tant à faire dans le monde. Les femmes étaient accueillies telles qu'elles étaient, avec leurs cicatrices et leurs failles, reconnues mais pas nécessairement transcendées. À La Maison, certaines avaient appris à accepter leur vie avec toutes ses particularités, à être vraiment vues et totalement embrassées par la Source. C'est le terme qui leur semblait le plus approprié pour définir l'Amour infini, l'énergie illimitée, le chant universel, la force de compassion rayonnante. Le grand tout omniscient d'où tout émane.

Les huit étaient des femmes de cœur qui, malgré les drames et les vicissitudes, avaient le potentiel de se tenir debout. Elles ne refusaient pas de s'ouvrir à des sentiments gênants, à leur colère, aux chagrins et aux contrariétés de chacune, à leurs propres mensonges avec lesquels elles avaient été longtemps à l'aise. Une façon d'être qui n'apparaît pas en une nuit à moins d'un miracle, car elle est enracinée depuis des années sur un chemin solitaire. Chacune était passée par une porte différente, mais au fond elles s'étaient toutes retrouvées catapultées dans les profondeurs insondables de leur être. Car tant que l'on n'a pas atteint les limites de notre capacité de souffrir, on ne s'ouvre pas à la possibilité de sortir de nos schémas et de nos habitudes. On n'entre dans le spirituel que démuni, dénudé, sans pouvoir, sans privilège.

Toutes en étaient venues à croire que l'exploration de cette dimension était la seule issue possible. Elles étaient convaincues qu'il n'y avait pas d'autre sens à leur vie. Leur cœur était pris. Ce n'était pas une décision froide que de suivre une voie spirituelle, l'intensité de leur expérience les y avait menées. Ou peut-être possédaient-elles cette prescience de quelque chose de plus grand que la personnalité, le mental, le caractère qui existait en chaque être humain ? Ces compagnes d'aventure aspiraient à s'aligner sur ce qu'il y avait de plus élevé en elles. Le réel pouvoir de leur âme allait leur être restitué.

Elles avaient fait le choix de se retrouver en communauté dans une maison de femmes pratiquant une spiritualité active. Elles priaient, méditaient, créaient des rituels et se penchaient sur les symboles, les rêves, les images qui surgissaient dans leur existence. Elles avaient arrêté de s'appuyer sur des figures d'autorité pour trouver leur vérité. Chacune avait eu besoin de solitude et en était venue à se fier à une source de sagesse intérieure. Une expérience profonde et définitive vécue individuellement et partagée avec les autres. Introspection, dévotion, action engagée. Il y avait un temps pour être seule, un temps pour être ensemble, un temps pour donner à la société. Régine y tenait. Elle ne plaçait pas une action au-dessus de l'autre. Les filles s'engageaient à résider au moins un an à La Maison. Le temps de se reposer de leur vie, d'acquérir une sagesse nouvelle et de partager des connaissances intimes.

Régine était certaine que l'engagement, combiné à la sagesse et à l'énergie d'un petit groupe, pouvait contribuer à changer le monde. Rien de moins. Très jeune, elle avait eu cette vision d'un cercle, d'une assemblée, d'une société de femmes qui se serait formée en quelque temps ancien et aurait continué jusqu'à présent, produisant une lignée spirituelle féminine ininterrompue. Elle travaillait à maintenir cette chaîne vivante, le monde en avait grand besoin. Mais le difficile et le meilleur ne sont pas aussi populaires que le confort. Et au fil des ans, elle avait eu du mal à réunir des femmes qui ne craignaient pas de chercher ou d'évoluer hors des sentiers battus. Qui ne se modelaient pas sur les croyances et les comportements de la majorité. Qui n'étaient pas intéressées par une autorité autre que celle de leur cœur. Qui ne venaient pas acheter leur salut à La Maison, pas plus qu'elles ne l'auraient fait auprès d'une église, d'une mosquée, d'un temple, d'une synagogue ou d'un ashram. Certes, elles avaient besoin du soutien des autres femmes, des amies spirituelles, des sœurs, des compagnes si loyales envers leur propre réalité intérieure qu'elles incitaient à faire de même, à être des maîtres les unes pour les autres. Cette communauté était un puissant contenant d'acceptation affectueuse dont le cœur irradiait dans la cité.

Dans leur travail auprès des démunis, Régine leur rappelait que leur objectif était de servir sans s'imposer, sans vouloir convertir, sans attendre en retour. Qu'il s'agissait de tout accueillir avec la même force, la même ferveur. Et de répondre à la demande d'amour d'où qu'elle vienne. Car celui qui aime est égal à celui qui est aimé. Et c'est en soignant les autres que l'on se guérit. Elle leur rappelait que les plus misérables d'une société portent les blessures collectives sur leur dos et indiquent à tous le chemin de la guérison.

7. Celle qui voit

> « Voir le monde dans un grain de sable. Le ciel dans une fleur sauvage. Tenir l'infini dans la paume de ta main. L'éternité dans l'heure qui vient. [...] Si les portes de la perception étaient décrassées, l'homme verrait chaque chose telle qu'elle est : infinie. »
> WILLIAM BLAKE

« Je suis née sur une terre de roches, aux grands vents de la Gaspésie. Quand j'ai commencé à entendre les anges, j'avais trois ans. Ils me disaient comment les fleurs poussaient, ce qui se passait dehors dans le jardin et sur le fleuve. J'étais capable de voir les auras autour des plantes, des animaux. Le ciel et les vagues avaient quelque chose à me dire et je n'avais pas peur de leur parler à mon tour. Toute mon enfance, je n'ai pas arrêté de converser avec la nature et cela me paraissait absolument normal. Je percevais de nombreuses sortes d'êtres vivants différents, il y avait des courants d'énergie comparables à des plumes d'oiseau, des rivières, des volcans. J'ai réalisé qu'il y avait toujours des êtres invisibles autour de moi et cela ne me faisait pas peur. Je pouvais les chasser d'un mot et d'un grand geste de la main. Ouste ! Ouste !

Souvent, je m'asseyais près de la fenêtre de la cuisine quand ma mère repassait et je lui répétais ce que les anges me disaient. Ça la terrifiait, elle pensait que j'étais folle. Elle me disait de me taire, que j'insultais le petit Jésus, que je devais être possédée par le démon. Quand je n'obéissais pas et qu'elle en avait assez de m'entendre pépier, en se dévirant, elle me donnait une grande claque aller-retour. Mais c'était plus fort que moi, je parlais. Chaque fois que nous allions en visite chez des gens, mes parents me mettaient en garde avec fermeté. "Linda, quand tu seras chez eux, reste tranquille, mets-toi du papier tue-mouche sur la margoulette, tu dis des choses qu'on ne peut pas dire en public." Parce que je pouvais me retrouver n'importe où et savoir exactement ce qui se passait. Comme bien des enfants, j'étais très intuitive. Par exemple, je sentais la chicane qui venait de se produire dans la chambre d'en haut. Je regardais la maîtresse de maison et je lui disais : "Toi, tu n'aimes pas ton mari." Ou : "Les anges m'ont dit que votre plus grand garçon est mort. Il s'appelle Jacques et il est venu s'asseoir à côté de moi sur la galerie tout à l'heure." Mes anges habitaient toute ma vie d'enfant. Quand je pense qu'on commence à peine à croire les petits quand ils nous disent qu'ils ont été victimes d'abus, imaginez comment mes conversations avec les anges étaient reçues à la fin des années 1960 ! Vers huit ans, j'ai peu à peu perdu contact avec eux. À la puberté, je croyais être vraiment bizarre et c'est là que la rupture s'est faite. Je n'ai jamais cessé d'entendre les voix intérieures, mais je parvenais à les faire glisser au second plan dans ma tête et jamais plus je ne les ai appelées des anges. Quand j'ai eu seize ans, ma mère a reçu un diagnostic de cancer du sein, mais cela ne m'a pas étonnée. Depuis longtemps, je voyais une lueur étrange autour de sa poitrine. Quand je suis arrivée à l'hôpital à la fin de sa vie, une sorte de fumée bleue et blafarde nimbait son corps. Mais je n'avais pas de mots pour parler de ces nuages colorés. Quelques années plus tard, alors que je poursuivais mes études en psychologie à l'UQÀM, je me suis mise à traîner dans une librairie ésotérique avoisinante, à m'intéresser avidement à ce monde à la fois si près de moi et si mystérieux. J'ai lu des tas d'ouvrages écrits par des swamis, des Tibétains, des Amérindiens, des kabbalistes, des guérisseuses, des ésotéristes et Dieu sait qui encore. J'ai conclu qu'il n'y avait pas deux personnes qui étaient d'accord sur la définition de l'aura, comment ça fonctionnait et, surtout, comment en interpréter la couleur. Cela ajoutait à ma confusion. Mes visions continuaient de me surprendre à tout instant et me saisissaient au cœur. Les malheurs, les choix dictés par les failles de caractère, les croyances erronées, le manque d'amour, les trahisons, l'omniprésente violence me bouleversaient, m'usurpaient de longs moments de chaque journée.

Ne trouvant nulle part le repos, je me suis mise à nourrir des pensées suicidaires. Je me sentais seule à en crever, le monde m'apparaissait triste à pleurer. En fait, je me languissais de l'Amour des présences angéliques de mon enfance. J'ai alors décidé de faire un pacte avec l'Univers. J'ai dit : "Je vais essayer, je vais faire mon possible, regarde, on va arranger ça. S'il faut que je reste ici, je vais y demeurer, mais à une condition, c'est que je puisse briser la chaîne de souffrance qui touche ma famille humaine. Quand je serai vieille, s'il te plaît, ne me laisse pas regarder en arrière et voir autant d'enfants malheureux qui auront d'autres enfants malheureux *ad infinitum*." J'étais un peu naïve alors, mais cela m'a sauvée. Puis un soir comme un autre, tandis que je visitais des amis et que nous écoutions à tue-tête *Ship of Fools*, une chanson de Robert Plant, une chaleur commença à monter lentement de mon cœur. »

« On waves of love my heart is breaking
And stranger still my self-control
I can't rely on anymore
New tide, surprise my world is changing
Within this frame an ocean swells
Behind the smile I know it well. »

« Le feu me brûlait tout le long de la colonne vertébrale jusqu'au-dessus de la tête. Ce fut suivi par des mouvements spontanés de la main et du corps. Incapable de respirer, trempée de sueur, j'étais certaine que j'allais mourir. Je m'étais même demandé si quelqu'un n'avait pas mis quelque chose dans ma bière. Mes amis horrifiés et sans recours m'entouraient. Ils croyaient à une sorte de crise d'épilepsie. Après ce qui me sembla des heures, la chaleur s'atténua, je cessai d'être secouée de spasmes. Je rentrai chez moi ébranlée, m'attendant à trouver le réconfort dans l'environnement familier de mon appartement. Mais tout avait changé et se mélangeait dans une grande mer de lumière. Je ne voyais que des motifs brillants, il n'existait ni frontières ni limites. C'était comme si mon esprit avait imaginé depuis toujours que les objets étaient séparés mais qu'il n'y avait rien de vrai dans cette saga. La véritable histoire, c'est qu'il y avait une énergie ample, lumineuse qui coulait dans tout, tout le temps, à l'intérieur des choses et dans l'espace. Je ne faisais rien pour susciter cet état, au contraire, je luttais contre ma propre énergie. Il me fallait déployer d'énormes efforts pour maîtriser mes mouvements. J'étais assise à la table de la salle à manger et ça m'envahissait. Mon corps se mettait à tanguer. Tenter de me tenir droite sur ma chaise était un supplice. Ce phénomène allait se reproduire à un rythme de plus en plus rapide au fil des jours et des semaines. J'étais en totale détresse. Je retournai dans mes livres. Cette puissante énergie porte le nom de kundalini, elle est enroulée à la base de la colonne vertébrale trois fois et demie, comme un serpent. C'est exactement comme cela que je la percevais alors. Un cobra qui ouvrait grand sa gueule pour me broyer. À cette époque, je me fichais pas mal de savoir que l'éveil de cette énergie était l'apanage des plus sages qui, par la pratique de la méditation, la faisaient monter le long de leur colonne vertébrale depuis le sacrum jusqu'à la fontanelle, tandis qu'elle progressait d'un des sept chakras à l'autre afin de les harmoniser un à un.

Comme mon entourage insistait, je consultai un psychiatre. "Pauvre fille, vous faites des crises d'anxiété, je vais vous prescrire quatre milligrammes de Xanax en trois prises par jour. Ça va relaxer vos muscles, diminuer votre angoisse et améliorer votre sommeil, on s'en sert pour traiter le *delirium tremens.* Ça devrait aller." Tu parles ! Mon symptôme de danse de Saint-Guy, comme l'aurait appelé ma défunte mère, s'estompa, mon élocution et mes mouvements ralentirent, je ne vibrais plus à rien et j'étais devenue incapable de me passer des petites pilules qui m'abrutissaient bien comme il faut. »

« Soyez à vous-mêmes votre propre refuge.
Soyez à vous-mêmes votre propre lumière.
Le monde est aveugle. Rares sont ceux qui voient correctement. »
BOUDDHA

« Je décidai de fuir dans un ashram dans le but de me sevrer et d'apprendre, si cela était possible, à faire la paix avec ma kundalini. Avec un maître de méditation, tranquillement je parvins à apprivoiser le déploiement de l'énergie, à la faire descendre dans mon ventre et à en envoyer le surplus à l'extérieur. Chaque fois que la panique s'emparait de moi, je courais à la méditation. Avec de l'entraînement, au bout de plusieurs mois, mes symptômes cessèrent. Du moins, je les contrôlai mieux et je revins à Montréal bien décidée à continuer de méditer, à terminer mes études et à me mettre enfin à gagner ma vie.

Mais le quotidien à l'UQÀM me tuait. Avec sa laideur brunasse, ses couloirs labyrinthiques où circulaient itinérants, punks et gardiens de sécurité les pourchassant, ses étages de sous-sols parallèles contigus à la station de métro Berri, son organisation kafkaïenne, l'université populaire me rappelait les camps soviétiques que j'avais vus dans des documentaires. L'atmosphère grise et dense y était étouffante et me semblait peuplée des plus basses entités. Et elles hurlaient ! Quand j'appris qu'une secrétaire du département de sciences religieuses avait été sauvagement assassinée, mes pires intuitions se matérialisèrent et je fus incapable d'y remettre les pieds. Un prof me proposa d'être son adjointe à son bureau de consultations privées, j'acceptai. J'allais y passer vingt ans de vie professionnelle agréable tout en continuant à m'intéresser aux phénomènes énergétiques et à affiner mon don. Je compris que, à la manière des poupées russes, nous sommes faits de sept corps emboîtés les uns dans les autres, chacun permettant d'expérimenter un plan vibratoire spécifique, un niveau énergétique auquel je pouvais me brancher en tout temps, exactement comme lorsqu'on change de poste de radio.

Je m'appliquais à bien maîtriser la technique. Pour faire décoller le corps astral, j'activais le feu de la kundalini, sans peur. Avec mon souffle et la visualisation de mes chakras, je parvenais à contrôler désormais une partie de l'expérience, je changeais d'état vibratoire, laissant la conscience quitter mon corps physique pour se placer dans le corps astral qui lui était relié par un cordon énergétique. Là circulaient en permanence des tas d'informations. Je revoyais des êtres décédés. Je recevais des enseignements en toutes matières. J'expérimentais directement la présence de guides spirituels comme lorsque j'étais enfant. Ce n'était pas un autre monde, c'était plus proche que ma propre peau. Cela m'apparaissait désormais comme une ouverture de conscience extraordinaire. Sans les limitations du corps physique, je découvrais la plus grande des libertés, une forme de solidarité avec tout le vivant. Une expérience précieuse, mais qui me fatiguait beaucoup. Paradoxalement, sortir de mon corps, c'était faire une fantastique plongée intérieure, je me reliais pour ainsi dire à mon âme. Je voyais ça comme un nécessaire travail spirituel plutôt que comme un pouvoir psychique. Mon patron était au courant de mes expérimentations parallèles, j'en discutais avec lui régulièrement et il manifestait une grande ouverture d'esprit. Souvent, quand il n'arrivait pas à percer le mystère de certains de ses clients, il me consultait. J'essayais aussi d'éclairer proches et amis, mais seulement quand ils me le demandaient. En consultation, disons, non officielle, et surtout sans accepter d'argent. Au fil du temps, j'en étais venue à ne pas considérer ma médiumnité comme quelque chose qui faisait de moi quelqu'un de spécial. Je me disais qu'en laissant les enfants vivre librement dans leur monde imaginaire au lieu de les enfermer dans l'espace limité du cerveau gauche, ils n'éprouveraient pas comme nous cette peur devant l'invisible, ce grand malaise face au mystérieux. Ils seraient ajustés à toutes les fréquences et non pas restreints au physique. Cette familiarité avec les différents niveaux de conscience rendrait le monde psychique moins ésotérique. Et sans doute moins alléchant et moins séducteur pour tous les charlatans et leurs victimes.

Je continuais à méditer seule ou en groupe, je m'étais mise aussi à la prière pour entretenir un cœur pur. Je ne me rappelle pas le moment où j'ai commencé à prier pour les gens, mais j'ai fait cela une grande partie de ma vie, et je sais que si je prie pour quelqu'un, quelque chose se produit. Il me fallait du concret, je ressentais le besoin pressant de servir vraiment la communauté à mon tour, de revenir à mon vœu de briser la chaîne de souffrance de toutes les façons possibles. Ma retraite servirait à cela. Je pris le chemin de La Maison, dont je connaissais l'œuvre et la sagesse de Régine, sa fondatrice.

Elle m'accueillit comme une sœur. Et je poursuivis mon travail avec l'invisible pour améliorer le "réel". »

Sur le coin d'une table du réfectoire, Linda recevait tout le monde, itinérants, passants, donateurs. Au cours de la journée, des gens défilaient dans un va-et-vient incessant. Certains venaient chercher un conseil ou un mot d'encouragement, qu'elle accompagnait toujours d'une étreinte qui leur donnait le sentiment qu'elle les lavait de ce qu'ils considéraient comme leurs fautes. D'autres encore ne lui demandaient que de prier avec eux. Chacun se sentait comme un membre aimable et aimé de sa grande famille. À l'occasion, lors de sa ronde, le policier Steve Marquis faisait un arrêt à La Maison. Il passait d'abord par la cuisine de Laurence pour manger un bol de sa fameuse soupe aux cailloux, dont il raffolait, puis allait saluer « madame Linda » avec révérence depuis qu'elle l'avait aidé à résoudre un problème familial. Le dévouement des filles l'impressionnait, l'honnêteté émotionnelle et aussi une forme de mauvaise foi rebelle de Laurence le challengeaient. C'était sa préférée.

La cuisinière, qui luttait encore contre sa tendance au jugement, demandait à Linda comment elle faisait pour toujours respecter le père abuseur, la mère qui avait fermé les yeux, l'exploiteur, le tyran, le menteur compulsif, l'éternelle victime, le manipulateur, l'avare, le désaxé, le méchant. Comment pouvait-elle voir aussi clairement ce qui se passait à l'intérieur des gens et continuer à ne pas les juger ? Comment s'arrangeait-elle pour être si aimante ? Linda expliquait alors à la fougueuse Laurence que, d'une certaine manière, tant que la conscience n'était pas éveillée, le bien et le mal étaient des notions relatives. Elle disait : « Plus on est conscient, plus on est responsable de ce que l'on fait. Beaucoup aussi sont dans la noirceur et en souffrent sans le savoir. Je ne fais rien, je ne suis qu'un canal à travers lequel l'Amour s'exprime. Je me place à sa disposition, je le reçois et je le laisse faire son travail. Tout vient de là. C'est une chose de croire et une autre de savoir. Je n'ai pas besoin de croire. Je sais que la Source m'inspire toujours la parole et l'action justes. »

Pour Linda, le spirituel côtoyait intimement le psychique et elle s'y sentait si parfaitement à l'aise qu'elle ne considérait plus le phénomène comme quelque chose d'étonnant et, par conséquent, n'en tirait pas une satisfaction indue. Elle s'était depuis longtemps débarrassée de son orgueil de voyante. Pour rester au service de l'évolution qu'elle souhaitait, le psychique avait besoin du spirituel pour être complet et trouver son sens. Le spirituel était parfait en soi. Il exigeait un niveau d'énergie tout à fait différent, une qualité extraordinaire d'émotion et, en certains cas, une force intellectuelle. Selon sa vision des choses, seuls les pouvoirs qui supposaient un oubli total de soi et un sacrifice de tout attachement aux résultats étaient spirituels. Et, surtout, elle était persuadée qu'il n'était pas meilleur de communiquer avec les défunts, de voir le passé ou l'avenir que de rester seule, en silence, en union avec la Source.

> « Les gens qui font valoir la raison sont comme ceux qui cassent des cailloux sur les routes, ils vous couvrent de débris et de poussière. »
> OSCAR WILDE

Mais elle s'étonnait encore de constater que la plupart des gens, et souvent ceux que l'on dit les plus intelligents et les plus rationnels, croyaient dur comme fer à une vision du monde qui datait du dix-neuvième siècle et selon laquelle la science était une religion infaillible. Pour eux, le monde du surnaturel, du psychique, de la télépathie, de la circulation universelle d'énergie, de la synchronicité et de la simultanéité spatio-temporelle n'était qu'une théorie loufoque, destinée aux hurluberlus, aux illuminés et, pire encore, aux charlatans ou aux gens vraiment stupides.

Elle déplorait doucement que la majorité soit ancrée dans sa croyance en un monde solide. « Pour la plupart des gens, il faut voir pour croire. Que tout soit danse folle d'énergies et de vibrations n'effleure pas leurs esprits, ajoutait-elle. Ils croient à leurs sens limités. Pour eux, l'humain n'est pas un mélange de plusieurs niveaux d'énergie de densités diverses. Il y a une révolution à effectuer dans les esprits et dans les cœurs avant que l'on puisse vivre à un niveau de conscience qui soit en phase avec l'évolution du monde contemporain et même avec celle de la physique quantique. » Chacune des conversations avec Linda passionnait Laurence et lui donnait de nouvelles clés pour comprendre la vie.

8. Celle qui s'indigne

« C'est pas parce qu'ils sont nombreux à avoir tort qu'ils ont raison. »
COLUCHE

À son arrivée à La Maison, Laurence ressentait de la pitié pour sa vie remplie d'efforts épuisants et superflus.

« J'ai fait carrière avec plus ou moins de succès comme conseillère en ressources humaines. J'y ai vu, me semble-t-il, la nature humaine dans tous ses états. Il m'est pourtant arrivé de faire coïncider mes valeurs et celles des entreprises pour lesquelles j'ai travaillé sous contrat et d'être fière de ce que j'avais accompli. Mais j'ai l'impression d'avoir perdu beaucoup de batailles. De trop nombreuses batailles. J'ai été aux prises avec des harceleurs, des intimidateurs, des petits mononcles à la libido passive-agressive, des fraudeurs, beaucoup de menteurs, de carencés de l'estime de soi, de lâches et d'incompétents et, au fil des ans, avec de plus en plus de grands narcissiques. Une race en soi. Des hommes et des femmes sans affect ni culpabilité, d'une grande rigidité caractérielle et pour qui les autres n'étaient que des marionnettes interchangeables. Des gens froids dont l'existence consistait à mettre en place des stratégies pour combler leurs inextinguibles besoins. Dans leur vie autant professionnelle que personnelle, d'ailleurs. Ce qui me rendait malade, ce n'était pas tant leur avidité de pouvoir, souvent assumée et bien vue, que la grande jouissance qu'ils tiraient à utiliser les autres et à leur faire effectuer leurs basses besognes. J'en ai vu, des serpents en habits et en robes griffées, être renforcés dans leur sentiment de toute-puissance. Je me suis trouvée trop souvent incapable, malgré mes plus vaillants efforts, de rectifier les situations, de faire valoir les droits des victimes, qui, contrairement à ce qu'on pourrait croire, n'étaient pas les faibles de la fable mais les personnes les plus libres. Les rares capables de réagir à l'autoritarisme d'une patronne ou d'un petit boss et qui refusaient de se laisser asservir. C'était justement leur capacité à résister au non-sens et aux pressions de l'autorité qui les désignait comme *persona non grata*.

Je me mettais trop facilement dans leur peau, j'éprouvais avec eux la solitude, le découragement devant la lâcheté et la complaisance de l'entourage qui craignait de devenir une cible à son tour ou qui, parfois, jouissait bien inconsciemment de façon sadique du spectacle de la démolition d'un collègue. Chaque fois, cela me prenait aux tripes. Je n'en dormais pas pendant des nuits. C'est sans doute à ce moment-là que j'ai commencé à développer une insomnie chronique.

À la manière d'une entomologiste observant une termitière, j'ai pu observer de près le comportement des groupes, qui n'est pas la somme des comportements des gens qui les composent, mais une nouvelle entité qui a ses propres codes plus ou moins tordus selon le degré de laxisme de l'organisation ou de névrose des gestionnaires. Ce qui me frappait, c'était que les groupes avaient invariablement tendance à niveler les individus et supportaient mal la différence. Dans un contexte de survie, où l'on fait croire aux gens qu'ils doivent être prêts à tout accepter pour garder un emploi, c'est souvent chacun pour soi et la plupart font n'importe quoi pour sauver leur peau. Certains patrons pourtant diplômés en gestion continuent à appliquer la bonne vieille méthode : diviser pour mieux régner. On provoque des jalousies, on aiguise les rivalités, on s'en lave les mains. Le reste du travail de déstabilisation est fait par les collègues les plus lâches ou les plus avides de bien se faire voir et de grimper les échelons. Déloyauté et impunité deviennent la règle. Un terreau fertile pour les carrières bâties sur le dos des autres. J'en suis venue à la conclusion que trop d'entreprises sont des systèmes pervers dans la mesure où la fin justifie toujours les moyens. Dans un système économique compétitif, de nombreux dirigeants refusent de prendre leurs responsabilités, perdent toute espèce d'humanité et ne tiennent que par un système de défense destructeur basé sur le mensonge et la crainte. J'étais terriblement lasse de mon impuissance à instaurer un peu d'humanité dans le monde du travail tel qu'il m'apparaissait. Et j'étais écœurée par le degré de déni et de mensonge personnel dans lequel la plupart des gens étaient enfermés.

Cela semble immuable, la bonne marche prétendue des entreprises justifie tout : surcharge de travail dans l'urgence, objectifs impossibles à atteindre, exigences incohérentes. Les patrons parlent d'autonomie et d'esprit d'initiative, mais, hypocrites, ils n'en exigent pas moins soumission et obéissance. À combien de réunions ai-je assisté en tant qu'observatrice pour constater que certains ne font que répéter les idées des autres comme si elles étaient les leurs, mine de rien, ou encore se rallient sans sourciller à l'opinion d'un supérieur même si tout le monde sait qu'ils sont d'avis contraire ? J'ai remarqué avec dépit que, la plupart du temps, les patrons n'étaient ni les plus compétents, ni les plus intelligents, ni les plus courageux, mais ceux qui étaient les plus enclins à faire taire leur conscience et à se ranger du côté de l'autorité du moment ou de leurs petits intérêts. Toujours prêts à la compromission pour garder un emploi ou progresser dans l'entreprise. Comme des robots, sans émotion ni conviction. Il m'est même arrivé de travailler pour une grande banque dont les employés étaient identifiés par un numéro matricule. Et pour une société d'État où, régulièrement, un employé se suicidait dans les toilettes parce qu'il avait l'impression de ne plus rien valoir s'il perdait certains privilèges ou son emploi. J'en suis venue à croire qu'il fallait profondément réformer les individus. Leur apprendre un à un à être libres et sans peur.

Aujourd'hui, j'assume mes contradictions et je parviens tout de même à faire cohabiter ma compassion et le respect que j'ai pour les autres avec ma déception et ma colère. »

> « Se laisser guider, non plus par les incitations du monde extérieur, mais par une urgence intérieure. »
> ETTY HILLESUM, *Une vie bouleversée*

« Je pense qu'une horloge sacrée habite certains d'entre nous et qu'un jour on se réveille en sachant qu'on ne peut plus s'enfermer dans son ancienne identité. Je cherche des moyens de transmuter ma peur et de devenir reconnaissante. Je ne sais pas exactement ce que je veux, mais il faut que je trouve quelque chose. Dans cette vie, j'ai choisi de progresser, d'aller dans le sens de mes plus hautes aspirations. Je ne veux pas me laisser alourdir par les expériences qui m'ont éprouvée. Je ne désire rien de moins que me libérer. Je suis cependant certaine d'aller dans la bonne direction. J'ai demandé à mon âme d'être tranquille. J'ai dit à mon cœur : "Prends congé, délivre-toi de tous tes programmes et de toutes tes peurs."

À La Maison, le travail à la fois créatif et utile de la cuisine est tout indiqué pour moi. Nourrir avec tout l'amour dont je suis capable. La sage Régine a bien vu. Quand je cuisine, je suis là, au présent, tout absorbée par l'événement comme une enfant fascinée par un nouveau jouet, un bruit inusité, la couleur du temps. Probablement que mon mental se met sur pause. Il cesse de babiller, de faire des commentaires, de comparer. Le mental est incapable de se tenir dans l'instant. Il s'ennuie facilement, il ne peut goûter à fond une simple chose comme une tomate gorgée de soleil sans songer à mille autres fruits plus savoureux. Il a du mal à se concentrer entièrement sur l'acte de manger. Il n'aborde ni les événements, ni les gens sans les enduire préalablement de jugements, de catégories, de soupçons. Il sélectionne, il différencie, il catalogue : ennui-plaisir, bon-mauvais, ami-ennemi, correct-incorrect, moins important-plus important. Il n'accepte pas les choses simplement telles qu'elles sont. Il souffre et ce qu'on appelle communément le "je" était vraiment las de ces sempiternels allers-retours de la pensée.

Pourtant, bien avant mon arrivée à La Maison, j'ai commencé à vivre autrement, à être pleinement ici et maintenant avec toutes les frustrations et toutes les satisfactions inhérentes à cet état. À m'efforcer de prendre la bouchée entière sans rien refuser, sans cracher la partie jugée amère. À voir, par exemple, les files d'attente, le commis négligent, la petite vieille qui compte lentement ses sous à la caisse ou qui prend son temps au guichet automatique comme des occasions de m'élever au-dessus de mon ego. Sans ciller, ni soupirer, ni lever les yeux au ciel, ce qui est une manière de maîtriser ma nature impatiente, que j'ai acceptée aussi. Suffit de s'obliger à sourire extérieurement en déridant les commissures des lèvres. Au début, ça force, ça fait presque mal. Puis, l'intérieur suit. Je me reprenais. Je ne manifestais pas non plus d'exaspération quand le taxi empestait l'ail et les relents d'hygiène corporelle douteuse ou que le chauffeur allophone me mettait en retard parce qu'il s'était égaré malgré son GPS. Je regarde toujours en observatrice toutes ces petites vagues de la vie quotidienne qui troublent mon lac émotionnel. »

> « La satisfaction d'aucun souhait ne peut procurer de contentement durable et inaltérable. C'est comme l'aumône qu'on jette à un mendiant : elle lui sauve aujourd'hui la vie pour prolonger sa misère jusqu'à demain. »
> ARTHUR SCHOPENHAUER, *Le Monde comme volonté et comme représentation*

« À une époque, j'ai tant attendu ce que j'aurais qualifié alors de bonnes nouvelles que j'en avais même perdu le goût de vivre. Avec les années, je suis parvenue à accepter que les nouvelles ne soient pas celles que j'avais espérées. Et même à être tranquille sans attendre ce que la vie me réservera. On court après le bonheur comme si c'était un avion qui nous attend pour partir. Ou un état particulier que l'on pourrait posséder une fois pour toutes et qui nous assurerait la plénitude. Et surtout, surtout, quelque chose qui éloigne le doute, la tristesse et le malheur. Je m'efforce désormais d'accueillir ce qui est. Je dis bien m'efforce. Et puis, au fil de ma vie et des rencontres, j'ai fait d'intéressantes découvertes qui m'ont aidée à être un peu plus sereine. Chaque événement désagréable et chaque personne blessante ne le sont que parce qu'il y a en nous un point sensible qui résonne avec leur vibration. Ce qui nous peine, nous choque, nous écorche, les supposées bonnes ou mauvaises nouvelles ne le sont qu'à cause de notre "moi" limité qui étiquette tout et les perçoit ainsi. Ce sont ses réactions, ses illusions qui empoisonnent nos vies. Je suis parvenue avec un certain succès à retirer de mon cœur les obstacles quotidiens de la compétition, de la rivalité, de l'envie et de l'avidité qui pouvaient l'obstruer. À un certain moment, je me suis tournée vers des manuels de croissance personnelle pour trouver des réponses. J'ai pu constater que l'abondance n'entre pas dans nos vies parce que l'on connaît par cœur des affirmations abracadabrantes, mais parce qu'on apprend à voir et à accepter les parties blessées de soi et à leur donner de l'amour. Les cadeaux de la Source n'alimentent pas les attentes de notre ego, leur valeur est d'ordre supérieur. Ils nous aident à découvrir notre véritable nature et notre mission ici-bas. Lorsque la bonne porte s'ouvre, on comprend pourquoi la mauvaise a été fermée. »

Après quelques mois à La Maison, Laurence, remplie de gratitude, avait dit aux filles après la grande prière du soir : « Ma guerre la plus dure, c'est celle que j'ai menée contre moi-même. J'ai mené cette guerre pendant des années, elle a été pénible. Mais depuis que je suis avec vous, je me suis libérée de la volonté d'avoir raison. Je ne suis plus sur mes gardes, j'ai cessé d'avoir peur. Cela me rend un espace intérieur neuf où tout m'apparaît possible. »

L'avenir proche allait lui donner une nouvelle occasion d'apprentissage.

9.

Le premier courrier fut livré par messager. C'est Linda qui signa pour Régine, à qui il était adressé. Elle apporta la lettre à sa destinataire qui l'ouvrit devant elle. Le visage de Régine s'allongea.

– C'est une offre d'achat… Imagine-toi donc qu'ils me proposent quatre millions pour La Maison et la ruelle privée attenante. Et ils exigent une réponse d'ici une semaine.

– Qui ça ?

– Langlois Holding, mais c'est signé par un Me Bibeau du cabinet Rhéaume & Bachand. Qu'est-ce que ces entrepreneurs du Vieux-Montréal peuvent bien nous vouloir ?

– Le moins qu'on puisse dire, c'est qu'ils sont pressés et qu'ils ont trop d'argent, dit Linda en rigolant.

– Il n'est pas question de vendre La Maison. À aucun prix. Cela n'a jamais été une option. Ces gens qui pensent pouvoir acheter tout le monde se sont trompés d'adresse. Je vais leur répondre à l'instant. Linda, n'en parle pas aux autres s'il te plaît.

Cette histoire continua de tourner dans la tête de Régine, lui interdisant le repos. Elle ne pouvait s'empêcher de penser qu'il y avait un lien entre les agressions contre des itinérants et la missive de Langlois Holding. En effet, dernièrement, l'un des plus vieux sans-abri avait été retrouvé en sang dans la ruelle voisine et reposait entre la vie et la mort à l'Hôpital Saint-Luc. Une habituée s'était fait voler à l'arraché, de la porte du fameux VUS dont leur avait parlé Giselle, le sac contenant ses doses quotidiennes d'héroïne, ce qui avait provoqué tout un émoi. Laurence lui avait administré quelques gouttes de son élixir au quartz fumé, mais c'était loin d'être suffisant, la peur du manque était trop pressante et il avait fallu la faire transporter aux urgences. Toute la période du dîner en avait été perturbée. Régine garda ses ruminations pour elle-même. Elle avait ses raisons. Son silence quotidien était désormais peuplé de revenants.

Le policier Marquis avait fait sa pause coutumière dans la cuisine de Laurence. Comme chaque fois, il avait accepté son offre et avait engouffré une large part de son dessert du jour, un gâteau au chocolat recouvert d'une fine couche de caramel salé. Il était au ciel! La grande brune en profita pour le questionner sur le fait que les policiers intervenaient rarement auprès des sans-abri. Cela faisait quelques semaines que les filles remarquaient des crises nerveuses, des blessures, une hausse de l'ébriété et des états hallucinatoires chez leurs habitués. La police semblait se ficher des fluctuations de comportements de cette communauté.

– Beauté, on fera pas grand-chose. Les itinérants sont attaqués tous les jours, et la plupart du temps c'est entre eux que cela se passe. Surtout des règlements de comptes pour vols de drogue, des crises des déficients mentaux. C'est des travailleurs sociaux sur le terrain que ça prendrait. Et un plus grand nombre de policiers spécialement formés. On n'a pas les budgets. On a d'autres chats à fouetter.

– Comme vous mettre à quatre pour tabasser un suspect, ajouta Laurence en le narguant.

Mais rien de ce qu'elle disait ne pouvait fâcher le policier. Une femme qui cuisinait aussi bien bénéficiait de toutes ses indulgences.

10. Celle qui marche dans les ténèbres

« Nous sommes tous un peu comme ce voyageur qui, assis sur la banquette du train, tient absolument à porter sa valise sur ses genoux plutôt que de la déposer sur la banquette. Il croit vraiment que c'est lui qui porte le fardeau. »
RAMANA MAHARSHI

Dans sa chambre spécialement aménagée au deuxième étage, chaque matin, bien au chaud sous ses couvertures, Hélène faisait ses prières. Un moment précieux pour se mettre en contact avec l'intelligence divine ou la Source, comme on l'appelait à La Maison.

« J'accepte ce que tu veux bien faire de moi aujourd'hui. Je suis reconnaissante pour ce que tu m'as déjà donné, j'obéis et je fais confiance à ce qu'il y a de plus grand en moi. Guide mes pensées, mes paroles et mes actes. »

Elle poursuivait :

« Que je ne cherche pas tant
À être consolée qu'à consoler
À être comprise qu'à comprendre
À être aimée qu'à aimer
Car c'est en donnant qu'on reçoit
C'est en s'oubliant qu'on trouve
C'est en pardonnant qu'on est pardonné
Celui qui aime est égal à celui qui est
aimé »
(ADAPTATION DE LA PRIÈRE DE SAINT
FRANÇOIS D'ASSISE)

Chaque jour, elle éprouvait la même joie à se demander sans trop s'y arrêter ce que la vie mettait sur son chemin. Ce monde n'était pas qu'un lieu de souffrance. En fait, il n'était ni joyeux ni douloureux, il était les deux en même temps. Elle l'acceptait.

Pourtant, il n'en avait pas toujours été ainsi...

Puis, elle entamait son petit lever. En s'appuyant sur ses avant-bras, en se mouvant un peu mécaniquement, elle parvenait à ramener ses jambes mortes au bord du lit adapté. Un dernier effort pour tirer à elle son fauteuil roulant et s'y installer. Hélène était autonome pour la toilette, l'habillage et les repas. Mais si une autre fille se trouvait à la salle de bain au même moment, celle-ci se faisait un plaisir de lui faciliter la tâche. Elle l'aidait à se positionner sur le siège de douche, lui séchait le dos, attachait un bouton, donnait un coup de brosse dans ses cheveux blancs mousseux. Elle lui tendait aussi son atomiseur de parfum et son rouge à lèvres. Depuis ses seize ans, Hélène était fidèle à *Rive gauche* de Saint-Laurent et au vrai rouge cerise. Un rituel qui était un acte de gratitude pour sa condition de femme. Marie-Maude lui massait régulièrement les épaules, les bras et le dos pour alléger tensions et blocages. Elle enduisait aussi ses jambes et ses pieds d'une des huiles vivifiantes de Laurence. Dans les faits, Hélène ne sentait plus rien, mais la chaleur de cette attention la remplissait d'un indicible bien-être. Elle pouvait commencer une autre bonne journée.

> « Je ne dois pas aimer ma souffrance parce qu'elle est utile, mais parce qu'elle est. »
> SIMONE WEIL, *La Pesanteur et la Grâce*

Quand elle se regardait dans le miroir, Hélène voyait un visage aux yeux gris-vert, aux traits doux. La petite bombe avait tant changé depuis son arrivée à La Maison. Pendant les longues heures où elle s'était confiée à Régine, les yeux d'Hélène s'étaient comme dessillés. Se libérer de son fatras intérieur avait profondément modifié sa perspective sur sa situation actuelle.

« Un voile sombre dont je n'avais jamais eu conscience s'est levé et a disparu, disait-elle pour expliquer son changement de perception de la réalité. Mes mécanismes de défense psychologiques se sont écroulés, mon cœur s'est dilaté et j'ai pu entreprendre le deuil de mon ancienne vie et de mes jambes dans une étonnante forme de sérénité. Tant que je n'avais pas pu dire ma vérité et savoir qu'elle avait été entendue, je ne la connaissais pas, je n'étais pas totalement moi-même. Quand on a raconté sa propre histoire, on peut la laisser reposer. Le silence n'est pas toujours d'or, il arrive qu'il soit d'un jaune bien banal. Il ne nous protège pas. Et ce ne sont pas nos présumées fautes ou nos blessures qui nous immobilisent, mais le fait de les garder secrètes. Ma souffrance était pleine de silences à rompre. »

Depuis qu'elle était toute jeune, Hélène s'accrochait aux choses rassurantes qui se mesurent et qui définissent. Un cursus universitaire parfait qui s'était soldé par des diplômes, puis un mariage, deux enfants, une maison dans un certain quartier, une carrière qui prenait de l'essor au fil des ans. Elle n'avait eu ni le temps ni l'inclination de se questionner sur ce qui l'avait construite. Elle avait cru ce qu'on lui avait enseigné. Si l'on fait telles études, que l'on agit de telle façon, on réussira sa vie. L'actrice s'était donc identifiée à son rôle de brillante universitaire et de femme de carrière. L'introspection des états d'âme, les épanchements et les explications sentimentales, très peu pour elle. *Never complain, never explain*, elle était fière de ce qu'elle considérait comme sa force de caractère.

En parlant à Régine, elle s'était rendu compte qu'elle ne s'était jamais véritablement ouverte à quiconque. Ni à sa famille, ni à ses fils. Avec son ex-mari, c'était un peu différent, mais aucun ne s'était jamais donné la liberté d'abandonner pleinement son cœur à l'autre. Le travail et la réussite étaient les choses qui donnaient un sens à sa vie. Faire, agir de préférence, plutôt que se sonder cœur et reins. Maintenant, Hélène portait un regard direct sur les circonstances de sa vie et en parlait avec un intérêt absolument dénué de toute considération narcissique.

« Après mon accident, pendant deux ans, presque chaque nuit, j'ai rêvé que je marchais pieds nus sur une rue pavée inconnue. J'avais conscience d'avoir laissé mon ancienne demeure, mais j'ignorais comment trouver un nouveau foyer. En me réveillant assoiffée dans un désert de neige aveuglante, je clignais des yeux, tendais la main vers ma table de chevet pour saisir un verre, que j'avalais d'une traite. Généralement un mélange de vodka Absolut et de club soda, tiède et dilué à cause des glaçons fondus depuis des heures. Je survivais à l'accident qui m'avait privée de mes jambes, bourrée d'alcool, de médicaments et de remords, m'efforçant de ne pas discerner le jour de la semaine, la date, la saison, recluse au rez-de-chaussée de ma maison de Ville Mont-Royal. J'ai vécu dans le désespoir, un grand tabou pour la personne que j'étais. Dans nos sociétés, pour les individus suradaptés dont je faisais partie, souffrir émotionnellement est signe de faiblesse et d'échec. Mes deux grands fils avaient bien essayé tant qu'ils le pouvaient de me tirer de mon marasme, mais je me montrais intraitable, les chassant par mes crises de rage et mes exhortations à me ficher la paix et à retourner à leurs vies. Ma stratégie d'isolement fonctionna si bien qu'au bout de quelques mois ils furent incapables de demeurer les témoins impuissants et les boucs émissaires de tant de douleur autodestructrice. Ils perdirent espoir en une mère qu'ils ne reconnaissaient plus. D'ailleurs, leur avais-je déjà accordé le temps nécessaire pour qu'ils sachent de quel bois j'étais faite ? Je n'en avais aucune idée moi-même. Leurs visites s'espacèrent. Bref, ils sauvèrent leur peau. Pouvais-je les en blâmer ?

Très tôt après le divorce, j'avais laissé leur garde principale à leur père et à sa nouvelle femme. Tout à ma carrière, j'avais eu du mal à m'occuper d'eux. Mon salut passait par le travail et une sorte d'étourdissement social. Congrès, conférences, comités, galas, rencontres avec des collègues à l'étranger me laissaient peu de temps pour la vie en famille. Mon mari avait assuré un certain temps, mais s'était lassé de vivre avec le fantôme qui avait l'apparence de sa femme.

Mes fils, Nicolas et Julien, me confièrent donc à la garde d'une employée de maison particulièrement patiente qui prenait soin de ma toilette, des repas - pour ce que je mangeais ! -, du ménage et, surtout, de l'approvisionnement en médicaments et en vodka. Une physiothérapeute discrète et dévouée venait régulièrement pour les exercices d'adaptation au fauteuil roulant. J'étais parvenue à faire le vide autour de moi. Même mon ex-mari avait renoncé à essayer de tenir une conversation de courtoisie avec la furie émotive et incohérente que j'étais devenue. Mes journées s'écoulaient dans un brouillard d'émissions de télé ineptes, de récriminations coupables, de somnolence et de larmes. Il suffisait que je voie un oiseau sur le bord de la fenêtre ou que j'entende une chanson à la radio pour que, sans que je m'y attende, je sente mon cœur transpercé et sois inconsolable. Dans ces moments-là, je me préparais un cocktail anesthésiant de choix, que j'avais cyniquement baptisé Percotini, vodka et Percocet on the rocks.

J'avais été quelqu'un. Une femme rationnelle, hautement fonctionnelle, utile à la société. Quand le drame est survenu, ma carrière se trouvait à son apogée, j'étais une professeure et une chercheure respectée du département de médecine qui pilotait des projets d'envergure. Très fière de ma place dans le monde. Je l'avais méritée. Mais les circonstances me contraignirent à démissionner de mon poste et je n'arrivais pas à me remettre de ce qui me semblait la pire, la plus injuste des épreuves. Je ne savais pas alors que ce qui nous arrive nous est admirablement adapté. Que la vie s'arrange toujours pour nous atteindre là où ça fait le plus mal, là où la faiblesse est la plus grande, là où la leçon est à apprendre. Qu'elle est un exercice d'assouplissement graduel. Ce qui s'était passé, c'est que sans tenir compte de l'avertissement du patron et du comité d'éthique de l'université, j'avais décidé de contacter un journaliste pour lui faire part des difficultés que j'éprouvais à faire stopper la mise en marché d'un médicament contre le cancer du sein dont mon équipe et moi avions pu tester les effets secondaires délétères. On m'avait demandé de modifier mon protocole de recherche, on avait exigé avec insistance que je fournisse ma caution scientifique parce que, je devais bien le savoir, la compagnie était l'une des plus importantes sources de financement de la fondation de l'université. L'institution ne m'avait pas habituée à un tel traitement. J'avais refusé d'obtempérer, je m'étais obstinée, certaine de la rectitude de ma position. J'étais dans mon droit, j'avais raison, je travaillais pour le bien public, non pas pour des intérêts financiers privés. C'est du moins ce dont j'étais persuadée. Les exigences de l'université avaient exacerbé en moi un orgueil enfoui depuis des générations. Pour être certaine de gagner mon point, je ne m'étais pas arrêtée en si bon chemin, j'en avais profité pour dévoiler les liens incestueux qui unissaient un membre influent du comité d'éthique au président de la compagnie pharmaceutique. Ce rôle de tireuse d'alerte et de justicière me convenait très bien.

À cette époque, sur le plan professionnel, je n'avais guère eu de bâtons dans les roues. J'avais mené ma carrière *my way or the highway*, comme disent les hommes. La plupart du temps, les choses se déroulaient selon les objectifs que je m'étais fixés, la détermination et l'excellence au travail me donnant l'impression de contrôler la partie, d'être la seule maîtresse de ma vie et la seule responsable de mes succès. Mes révélations mirent le feu aux poudres. Une puissante machine s'enclencha en mode attaque et destruction. Les menaces commencèrent d'abord contre mes amis et collègues, qu'on incitait à ne pas me fréquenter s'ils voulaient conserver leur job. Très peu se montrèrent loyaux. "On a des familles, tu comprends..." On poussa plusieurs de mes étudiants à écrire des lettres diffamatoires à mon sujet. L'administration mit un terme à mon contrat. Dans la prétendue confrérie des profs et des chercheurs, rares furent ceux qui me manifestèrent leur soutien, même en privé. Les ressources s'amenuisaient davantage chaque année, et certains avaient déjà vendu leur âme pour obtenir des subventions conséquentes. C'était une situation inusitée, chacun clamait son impuissance. Bordel, nous étions dans une institution de haut savoir, pas chez les mafieux, d'après ce que j'en savais ! Qu'est-ce qu'on y apprenait ? Le mensonge, le chantage, l'abus de pouvoir. Et que l'on pouvait se débarrasser d'un prof incommodant en utilisant des étudiants. Je ne décolérais pas. Le sentiment d'être la victime de la plus odieuse trahison me tourmentait jour et nuit. Je commençais à flancher. Je me traînais aux rares activités qui étaient demeurées à mon horaire. J'avais l'impression de n'être plus rien, de ne plus rien valoir. Tout ce qui m'avait définie m'était enlevé. Je ne savais plus comment rebondir.

Au bout d'un moment, le journaliste s'excusa de ne pas pouvoir continuer l'enquête et passa à un autre scandale plus spectaculaire. Il avait le choix. Chaque semaine apportait son lot de malversations et de pratiques douteuses soudainement révélées, son quota d'élus véreux pris à farfouiller à deux mains dans la poche de tout un chacun payant des impôts et des taxes et laissée béante par un État incompétent et corrompu. L'actualité désignait régulièrement un nouvel individu aussi cupide qu'insignifiant obligé de se dénoncer à moitié ou de mentir effrontément selon son caractère. De minables fonctionnaires, de petits messieurs cravatés et à leur affaire qui avaient corrompu le système sans le moindre état d'âme, se faisant payer par des mafieux des voyages dans le Sud, des bords de piscine, des cocktails frais et des parties de golf avant de prendre leur retraite prématurément et de s'enfuir en Lexus vers une maison à tourelles de banlieue. C'était comme voir des rats contraints de sortir des égouts et de défiler à la queue leu leu. Cela ne faisait qu'ajouter à ma fureur, à mon incompréhension.

Le recteur m'accula à la démission et me fit la grâce de m'octroyer une indemnité de départ. C'est du moins comme cela qu'il me présenta la chose. En reconnaissance de mes nombreux accomplissements et, ajouta-t-il sans se rendre compte du ridicule de la situation, du grand rayonnement que j'avais apporté à l'université par mes recherches. L'homme d'organisation comptait sur mon professionnalisme pour ne plus faire de bruit autour de cette affaire. J'étais ahurie, submergée, je n'arrivais pas à réagir. En fait, rien dans ma vie ne m'avait préparée à ce genre de situation. Les mois passant, je glissai dans une dépression de plus en plus profonde. Ma vie sociale s'était pour ainsi dire éteinte, en grande partie par ma faute. J'avais tellement honte de n'avoir pas gagné comme j'y étais habituée. J'étais complètement défaite, furieuse d'avoir perdu la partie. Tout ce à quoi j'avais cru et qui avait modelé ma vision du monde était donc erroné. Il ne valait plus la peine de lutter et de vivre. J'ai baissé les bras.

C'est comme ça que, en sortant très éméchée d'un bar, j'ai pris le volant de mon Audi et foncé en trombe vers l'autoroute. Il était temps de faire cesser l'omniprésente détresse mentale. Pourquoi moi ? Toujours la moins sage des questions. Pourquoi pas moi ? aurais-je dû me demander. J'avais travaillé avec acharnement toute ma vie, manœuvré avec un sens politique reconnu pour grimper les échelons en évitant les pièges. Où m'étais-je trompée ? Que n'avais-je pas compris ? Ce n'était pas juste. À quarante-sept ans, ma vie était foutue. Ce qui m'importait le plus m'avait été injustement volé. À cette époque, j'avais la maturité spirituelle d'une taupe, et encore ! Malgré les diplômes et les fonctions, j'étais très superficielle. Au lieu de voir les difficultés comme des marches permettant d'élever ma conscience, je ne m'arrêtais qu'aux apparences qui me renvoyaient, bien sûr, tous les signes d'un échec retentissant. À travers mon regard d'alors, étroit et myope, je n'avais aucune idée du sens global de mon aventure sur terre. Je retournai ma déception et ma colère contre moi. Je me réveillai des jours plus tard aux soins intensifs. On m'annonça que j'avais subi un grave accident, que j'avais perdu l'usage de mes jambes et qu'il était peu probable que je le retrouve. Et que, dès que je serais d'aplomb, la police viendrait m'interroger. Commença alors une longue nuit noire.

Puis, un jour, je me réveillai comme dans un autre rêve. La porte d'une vieille maison qui me semblait être dans une ancienne partie de la ville s'ouvrait sur un couloir lumineux. Je croisais et recroisais une femme affable aux contours flous qui me répétait : "La vie est soit résistance, soit abandon. La vie est soit résistance, soit abandon." Cette pensée m'occupa plusieurs jours. Ma vision des lieux était si claire que je pris sur moi d'appeler mon fils Nicolas, lui demandant de m'emmener faire une balade en auto en ville. J'avais grand besoin de sortir, de prendre l'air. L'employée de maison nous accompagnerait pour ce déplacement périlleux. C'était la première fois que je m'aventurais hors de chez moi avec mon fauteuil. On ne pouvait me refuser cela. Mon fils comprit cette requête comme une manifestation de ma bonne volonté à me rétablir. Ce que je n'avais pas dit, bien sûr, c'est que, dans mon brouillard, je cherchais ce que j'avais vu en rêve et qui me semblait encore si réel. En passant près d'une ruelle d'une vieille partie de la ville, je fus d'abord frappée par un groupe d'itinérants qui fumaient aux abords d'une maison patrimoniale bien rénovée. Je demandai à Nicolas de s'arrêter, de me conduire à la porte principale et de sonner. J'avais l'impression bizarre d'être dans un sas de décompression entre deux vies. »

11. Celle dont le cœur se dessille

« Entre ombre et lumière, là où plus rien n'existe et au cœur même du désespoir, ou plutôt de la fin de l'espoir, l'inattendu jaillit soudain comme un geyser d'Amour et de Lumière. Le cœur est percé, il s'ouvre et tout est connu, tout est consommé. »
MÂ SATYA

C'est Régine qui la reçut. Hélène renvoya son fils pour quelques heures. Les deux femmes parlèrent comme si elles s'étaient toujours connues. En présence d'une personne authentique, il est inutile de garder son masque. L'autre n'a même pas besoin de vous l'enlever. Tout simplement, vous le jetez sans y réfléchir. En fait, Régine écouta comme elle seule en était capable. Leurs âmes se connectèrent. Hélène ne chercha pas à comprendre ni à identifier le flot d'amour qui l'avait envahie pendant leur échange. C'était tellement bon, au-delà de toute pensée, au-delà de toute parole.

Une semaine plus tard, elle arrivait à La Maison. Au moment où elle s'était installée, son niveau de détérioration était tel qu'il fallut plusieurs mois pour la désintoxiquer des médicaments. Ses connaissances médicales lui servirent à éviter un sevrage trop brutal. Giselle et Linda lui apportèrent le meilleur dont elles étaient capables. Écoute sans jugement, prières silencieuses et collectives à haute voix, soins corporels patients, discussions spirituelles et rires francs autour de la table gourmande de Laurence. Elles la rendirent à elle-même. Sans drame ni éclats, dans une bienveillance chaque jour renouvelée.

Au fil des semaines, avec le recul, Hélène réalisa que sa descente aux enfers était porteuse de lumière. Que cela lui avait appris l'essentiel sur elle-même et sur l'étroitesse de sa vision malgré toutes ses connaissances. Il n'y avait pas de tragédie. C'était son ego qui avait fabriqué la catastrophe. Cependant, il faut souvent toucher le fond pour ne plus se contenter des réponses d'un mental bien rationnel. On s'y cramponne tant que la souffrance est encore supportable. Le seuil de douleur tolérable est différent pour chaque individu. C'est quand il est franchi et que l'on a tout perdu que l'on devient prêt à croire. On ne connaît ni le jour ni l'heure. Personne ne peut nous forcer à nous réveiller. Cette foi ne ressemble en rien à celle des dévots des religions traditionnelles. Elle n'est pas non plus une croyance en quoi que ce soit d'extérieur à soi-même. Ni une espérance de quelque récompense éternelle. Il s'agit plutôt de l'intériorité totale d'un retour au cœur de soi-même.

« Je me souviens d'un moment où tout est devenu clair pour moi. Pendant une prière particulièrement intense, j'ai ressenti tellement de tendresse pour les êtres humains. J'ai pensé à tous mes efforts effectués sans savoir que la résistance mène à la souffrance et que l'abandon mène à la joie. La résistance est la décision d'agir seul ; l'abandon est la décision d'agir avec la Source. »

Avec Régine et les autres filles, il y eut moult discussions aux soupers et jusqu'à tard certaines nuits à propos du caractère impermanent de toute chose, de l'apparente indifférence de l'Univers et de la nécessité du courage. Hélène avait été à même de constater que rien n'est jamais acquis, mais que l'on peut regarder cela sereinement et s'en remettre à ce qu'il y a de plus grand que soi en soi. Paradoxalement, elle s'était prise en main pour apprendre à lâcher prise, à s'abandonner au flot. Peu à peu, elle prit conscience qu'elle avait développé un « soi de survie » qui l'avait éloignée de son authenticité, de ce qu'elle voulait et de qui elle était vraiment. Elle pria pour rester dans la force de l'abandon. Elle se renouvela. Se découvrit une nature contemplative.

Sa guérison commença véritablement lorsqu'elle ressentit le besoin de servir les autres à son tour. Ça tombait bien, La Maison avait grand besoin des compétences d'une médecin. Hélène s'engagea totalement, comme elle l'avait toujours fait, dans les soins et conseils apportés aux démunis. Ceux qui étaient agressifs, celles qui regimbaient ou qui pensaient la manipuler pour obtenir une ordonnance d'opiacés et tous les autres. Elle soignait maintenant les corps et les âmes comme quelqu'un capable de voir au-delà des apparences, d'aimer au-delà des blessures et qui vit à fond toutes ces possibilités dans chaque instant. Mais elle constata également que les plus souffrants avaient une grande tendance à l'égocentrisme, qu'ils étaient remplis de ressentiments et se révélaient incapables de créer, de développer et de maintenir avec autrui un lien qui soit significatif. Ils étaient incapables de loyauté. Elle les comprenait, elle se voyait en eux. Certains jours, leur douleur lui était très difficile parce qu'elle se sentait proche d'eux. Cela n'avait rien à voir avec le niveau de scolarité, la réalisation personnelle ou la classe sociale. Tous ces indigents du cœur avaient une très pauvre image d'eux-mêmes, un schéma d'inacceptation fondamentale.

> « Nous ne sommes pas des êtres humains qui vivent des expériences spirituelles, mais des êtres spirituels qui vivent des expériences humaines. »
> PIERRE TEILHARD DE CHARDIN

Elle s'en ouvrit à Linda, la médium, qui lui permit de comprendre et aussi de se détacher. « Lorsqu'ils regardent une autre personne, la plupart des gens ne savent pas combien de vies elle a vécues sur terre ni ce qu'elle a fait dans ses vies précédentes. Ils ne savent pas, sauf quelques spécimens trop rares encore de ma sorte, s'amusait-elle à dire, pourquoi telle âme a été placée dans ce corps, pas plus qu'ils ne savent de quoi sera fait son avenir. Ils n'ont que la vision limitée du moment. Comment juger quelqu'un à partir d'un seul polaroïd ? Il y a des vies et des vies d'expérience et de l'information invisible, de même qu'un futur de possibilités que personne ne peut anticiper. C'est pourquoi il ne faut pas se décourager. »

« Mais encore ? » lui demanda Hélène, un peu incrédule.

Linda lui affirma être persuadée que chaque être humain est une essence spirituelle qui, transitoirement, s'est donné un corps physique pour vivre une expérience précise. Par exemple, en s'incarnant comme autiste dans une famille où les parents ont justement besoin de découvrir l'amour inconditionnel, détaché et patient. Alors que d'autres ont besoin d'approfondir la leçon de l'engagement et de la générosité. Enfin, on peut ne venir que pour un temps très bref parce qu'il y a peu de choses à intégrer ou qu'il est surtout nécessaire de réparer un tort commis, de rendre le bien pour le mal. La reproduction ne produit pas la vie, mais uniquement des enveloppes physiques qui peuvent abriter la vie. L'âme est la seule chose vivante en l'être humain, tout le reste n'étant animé, justement, que grâce à sa présence. Ce dont Linda était certaine, c'est que chaque âme vient dans l'expérience physique pour apprendre à s'aimer. À La Maison, n'en étaient-elles pas toutes de parfaits exemples ?

12.

Le second courrier ne tarda pas. Régine remarqua d'abord le changement de ton. Se faisant les porte-parole des habitants du quartier, des propriétaires de restaurants, d'hôtels et de condos de luxe, Frédérick et Yannick Langlois la mettaient personnellement en demeure de faire cesser le bruit et le va-et-vient aux abords de La Maison. Si la situation ne changeait pas, la Ville sévirait. La soupe populaire courait le risque d'être fermée au public. Le conseil d'arrondissement en était déjà avisé. Au moment même, ils effectuaient des recherches sur la conformité du bâtiment, le permis d'opération de même que sur la propriétaire du lieu. Depuis que La Maison avait ouvert ses portes, Régine n'avait jamais été inquiétée. Son œuvre de pure bienfaisance devait bien faire l'affaire des autorités. Des bouches de moins à nourrir par les ressources officielles. En haut lieu, on fermait les yeux sur ses activités non subventionnées par quelque palier de gouvernement. Quoique secouée, Régine en parla à Linda comme si de rien n'était.

– Peux-tu croire que parce que j'ai refusé de vendre, Langlois Holding s'essaie à l'intimidation ?

– Que peuvent-ils bien nous faire ? demanda Linda.

– Nous faire donner des amendes corsées par la Ville sans doute.

– T'es certaine que c'est juste ça ? Le sort de La Maison est en jeu, non ? Peut-être devrions-nous parler de la situation aux filles ?

Régine, nerveuse, lui répondit d'une dénégation de la tête. Linda avait eu plusieurs visions au sujet de la doyenne et de problèmes à La Maison, mais elle ne la questionna pas davantage. Elle ne l'avait jamais vue troublée comme ce matin-là. Régine n'était pas quelqu'un de facilement ébranlable. Elle la vit déchirer la lettre des avocats des Langlois et prendre le chemin de la salle de méditation au pas de charge. Au plus profond d'elle, Linda espérait que son amie s'ouvrirait enfin sur son passé. Ce ne serait pas aujourd'hui.

13. Celle qui a tué

« [...] nous voyons que rien ne disparaît vraiment jusqu'à ce qu'on ait appris ce qu'on devait apprendre. »
PEMA CHÖDRÖN, *Bien-être et incertitude*

Comme souvent après le souper des huit, Nathalie finissait de remettre la cuisine en ordre. Elle nettoyait les comptoirs, désinfectait les éviers, astiquait le poêle, passait le dernier coup de serpillière, dressait avec soin la table du petit-déjeuner des filles pour le lendemain matin. C'était un de ses moments préférés, une des formes que prenait sa méditation quotidienne, son silence intérieur rythmé par les bruits d'une apaisante routine. Les autres en étaient avisées et lui foutaient une sainte paix. Ce n'était pas bien difficile, aucune d'entre elles ne raffolait particulièrement de ce genre de tâche. Pour le lendemain, Laurence avait annoncé le petit dèj préféré de toutes. Muffins à l'avoine et au cheddar, compote de pommes à la cannelle et thé à la rose. Ce repas mettait les filles en joie. Ce soir pourtant, la grande rousse n'était pas tranquille, ses pensées s'emballaient et la laissaient oppressée, trempée de sueurs froides, en état de sidération. Qui aurait passé la tête dans la porte de l'immense cuisine aurait vu une très belle femme de cinquante ans, échevelée, figée, le torchon à la main. La Méduse de l'Antiquité.

Cinq années après le meurtre, les images défilaient encore en accéléré dans sa tête avec une surréelle acuité. Le coup d'œil oblique au manteau de la cheminée, la rangée de figurines étincelantes, l'élan, le moment où elle avait pris un des lourds trophées de bronze, dont Philippe s'enorgueillissait tant, pour le frapper à la tête. L'intensité du flash. Lui, par terre, dans un de ses chandails tachés, ses pantalons informes descendus à la moitié des fesses, qui avait gigoté avant de ne plus bouger du tout. Puis le cellulaire dans sa main, sa voix trop calme tandis qu'elle caressait machinalement le coussin élimé sur lequel des gouttes de sang avaient giclé. Le salon où les flics s'agitaient. Ses spasmes, son cri à elle, c'est fini, c'est fini ! La couverture râpeuse dont on l'avait enveloppée, l'allée où elle s'était maintes fois foulé la cheville sur ses talons hauts parce qu'il refusait d'en faire réparer le pavé. Le contact des menottes sur sa peau, la policière qui lui protégeait la tête pendant qu'elle montait dans la voiture.

Le reste avait été comme un brouillard agité de spectres avant qu'elle ne se pose à La Maison. Le long procès, la défense basée sur le syndrome de la femme battue, dont elle avait été l'une des rares à se prévaloir. Son courage momentanément retrouvé, ou son inconscience, l'avait servie. L'avocat, le controversé Me Pouliot, avait opté pour cette défense plutôt que de lui conseiller de plaider coupable à une accusation d'homicide involontaire contre l'abandon de celle de meurtre. Ce qui avait entraîné un onéreux procès à l'issue pour le moins inquiétante. Il aurait été plus simple d'avouer un homicide involontaire pour obtenir une sentence réduite. La plupart du temps, c'est ce que faisaient les femmes en pareille situation, même si elles se savaient innocentes. Elle avait préféré assumer son statut de folle trop effrayée par les menaces répétées de Philippe. Une stressée post-traumatique qui avait développé la peur d'être tuée. Même si cela portait atteinte à sa dignité et à sa crédibilité. À bien y regarder, elle était réellement devenue très dérangée mentalement à force de vivre avec lui. Dissociation de la personnalité après des années de soumission à des manœuvres prolongées de persuasion coercitive. Les experts avaient parlé.

« J'avais fini par croire que Philippe était tout-puissant et par m'y soumettre passivement, je ne voyais pas comment je pourrais échapper à son emprise. Toute mon énergie se concentrait sur des stratégies de survie à court terme. J'étais constamment en état de tension, sur le qui-vive pour ne pas le mécontenter, pour le calmer quand il s'énervait ou tout simplement pour m'efforcer de ne pas réagir. J'avais perdu l'illusion que sa férocité pourrait se dissoudre dans l'amour et l'empathie. J'avais tout essayé. Je ne savais plus comment m'en sortir. Je me sentais ligotée, piégée. Dans mon état de grand désordre, lui fracasser le crâne avec un de ses maudits trophées avant qu'il ne mette ses menaces à exécution m'était apparu comme la seule solution envisageable. »

La chose avait été jugée. Nathalie avait été acquittée dans l'opprobre, sous les huées de ses fans à lui, qui l'invectivaient à sa sortie de la cour, et les crachats radiophoniques des animateurs à grandes gueules qui croient leur haine encore plus légitime quand c'est une femme, belle de surcroît, qui est accusée. Les blogues revanchards de faiseurs d'opinions autoproclamés sur le thème de l'incurie de la justice leur faisaient écho. Une année à se rapporter à un officier des libérations conditionnelles, quelques autres d'errance, de thérapies et de groupes de parole. À essayer de se retrouver et de se reconstruire. Mais toujours cette insurmontable solitude.

En arrivant à La Maison, elle avait trouvé ce qui lui avait tant fait défaut : l'affection inconditionnelle d'autres femmes pour lesquelles sa beauté n'était pas une menace ; dans le silence, pratique quotidienne, une paix certaine que venaient troubler des images du jour où sa vie avait dramatiquement pris un autre tour. La vérité libère, pourtant elle les avait maintes et maintes fois racontées, les circonstances de son drame personnel. Mais il semble qu'on ne puisse être certaine qu'une histoire est la nôtre sans l'avoir partagée avec d'autres.

« Au fil de nos quinze ans de vie commune, j'étais devenue tellement dépendante de mon mari. Comme hypnotisée, dépourvue de libre arbitre. Quand je l'ai rencontré, j'étais prête à beaucoup pour sécuriser mon avenir. Même à croire que j'étais amoureuse. Le temps passait. À quarante ans, mon statut de belle fille me semblait s'étioler. Les contrats et les apparitions à la télé se faisaient plus rares. Je n'avais plus rien à promouvoir, même pas un théâtre d'été. Une forme d'honnêteté, je suppose, m'empêchait de jouer la porte-parole pour des causes qui m'interpellaient très moyennement simplement pour occuper un petit espace médiatique. À vrai dire, j'étais lasse de tout ce cirque qui consiste à être vue pour ne pas être oubliée du public. J'avais été Miss la plus ceci ou la plus cela, gagnant toutes sortes de concours, puis Miss has been. J'étais passée de mannequin à comédienne à animatrice dans une espèce de manque d'ambition et de bon droit. À vrai dire, même si la vie n'avait pas été si facile, je n'avais jamais eu besoin de travailler très fort, je ne savais pas vraiment en quoi cela consistait.

Pourtant, dès notre rencontre au cours d'une entrevue à la radio, quelque chose dans l'attitude de Philippe m'avait agacée. Une volonté de dominer la situation et, en même temps, une avidité enfantine d'obtenir approbation et admiration. Mais il était un compositeur populaire, une personnalité connue, cela devait être un mécanisme de protection. Donner la chance à tous les coureurs faisait partie de mon caractère. Nonchalance ou sagesse, je ne savais pas. En tout cas, cela m'avait toujours bien arrangée de ne pas investir trop d'énergie à soupeser le tempérament des uns et des autres. Dès le premier rendez-vous, après qu'il eut pris ma main et fait semblant d'y lire un avenir radieux pour nous deux, j'étais conquise. “Nous sommes faits l'un pour l'autre. J'accomplirai de grandes choses avec toi.” Il m'avait choisie. “Tu es la plus belle, la plus douce, une femme très intelligente.” Cette caution de mon Q.I. surtout me remplissait d'orgueil. J'avais alors vite fait de balayer son peu d'intérêt et de compétence en matière sexuelle. Ce n'était pas bien grave, à ce chapitre, j'avais beaucoup reçu et donné dans ma vie avant lui. J'aurais bien le temps d'en faire un amant généreux et imaginatif. “Toi et moi contre le monde”, aimait-il répéter. Et c'était cela qui comptait pardessus tout. Cette solidarité nouvelle me rassurait tellement. J'étais là, destinée à l'aider à prendre dans le monde la place qu'il réclamait, qu'il croyait mériter. J'étais là pour le consoler, le réparer, le protéger, le hisser vers ses plus grands rêves, que j'avais fini par prendre pour les miens tant était intense sa capacité à m'en convaincre.

Ce que j'avais fini par comprendre, c'est que Philippe ne supportait pas d'être dans l'ombre. Éternel insatisfait, il considérait n'avoir pas reçu toute la reconnaissance que son talent commandait. S'il avait pu, il aurait fait disparaître les autres, tous les autres, pour être le centre du monde. Le bonheur et les avantages des gens lui faisaient mal. L'admiration qu'on vouait à quelque nouveau venu, il pensait qu'on la lui dérobait. Il avait été trahi, bafoué dans son jeune âge, il en avait développé une paranoïa indiscriminée, se méfiant de tous, prêtant de la malveillance à chacun. Ne sachant discerner ceux qui lui voulaient du bien des arrivistes de son espèce, il ne pouvait s'entourer, par périodes, que d'artistes plus populaires que lui, desquels il pensait tirer quelque notoriété par association, et d'une petite cour de gens qu'il ne jalousait pas. D'ailleurs, il avait tendance à transformer en débiteurs ou en serviteurs les innocents qui s'approchaient de lui. La plupart d'entre eux finissaient par être remplacés à la moindre velléité d'autonomie. Ainsi, je m'étais retrouvée isolée, principalement occupée à le rassurer, à le remonter, à participer à tous ses stratagèmes. Comme l'adepte d'une secte qui ne tournait qu'autour de lui, de ses projets, de ses malaises, de ses besoins, de ses insécurités, de ses emballements. La complice de toutes ses peurs qui reflétaient les miennes.

Obsédé par ce qui le garderait dans la mire du public, il n'hésitait jamais à inviter les journalistes dans le grand salon pour parler de ses nombreux projets, même si cela impliquait de traficoter la réalité ou de mentir effrontément. Au début, le rôle de muse admirative m'avait flattée. Dire quelle carencée j'étais ! Mais au fil du temps, des fabrications et des mensonges, le cœur n'y était plus. Dans son show de fumée, Philippe était un amant des livres, un épicurien. Selon l'entrevue du jour, il se disait proche des vieux, des enfants, de la campagne, de la ville, des démunis, des riches, des vaincus, des vainqueurs, d'Untel et de son pire ennemi. L'auteur-compositeur-interprète-producteur-réalisateur-arrangeur le plus prisé des talk-shows. Dans les faits, je ne l'avais jamais vu lire un livre, il ne mangeait que quelques aliments scrupuleusement sélectionnés à cause de problèmes gastriques réels ou appréhendés. Le plus souvent, il nous enfermait à la maison pour travailler, refusant toute compagnie. De toute façon, il n'aimait personne et ne s'attachait à personne, moi y compris. Il en était incapable. Cela aurait dû m'apparaître bien avant. Mais, naïvement, je rêvais encore de voir le vrai Philippe se lever. Du moins celui que mon cœur appelait de ses vœux.

Mais à force, l'obséquieux personnage public et le tyran domestique peu sûr de lui finirent par avoir raison de moi. J'étais drainée par son incessant discours sur lui-même. Ses fameuses blessures dites "secrètes" dont j'avais cru être la seule gardienne et qu'il resservait à toutes les sauces. Dans ses chansons, son autobiographie, les causes pour lesquelles il s'impliquait, les malheurs de la vie, les catastrophes, les drames étaient son fonds de commerce. Les preneurs, nombreux. Quand on se compare, on se console. Et les gens brisés par les circonstances de leur vie sont légion.

Je me demandais comment j'avais pu me tromper à ce point. Je me sentais terriblement honteuse d'avoir accepté tout ça de ce pauvre type-là. Hyperlucide et complètement cinglée. Et coupable de ne pas avoir réussi à le sortir de son incapacité à être heureux et satisfait. La vérité, c'était que j'avais perdu tout repère. Le supportable et l'insupportable confondus. Je ne discutais plus. Vers la fin de notre vie commune, quand je pleurais, il semblait excité, un méchant rictus au coin des lèvres. Dans notre huis clos, sa fausse affabilité avait disparu pour de bon. Il s'impatientait, hurlait, tapait dans les murs. Sembler docile ou résister à son emprise, c'était s'exposer à sa haine, le résultat était le même. Meurtrie, cassée, je n'avais plus rien à donner. Jusqu'à ce samedi de mars fatal où il avait eu le malheur de s'avancer vers moi, vociférant et menaçant.

Après le meurtre de Philippe, je m'étais sentie libérée. Soulagée d'une partie de mon corps de souffrance. Cela m'étonnait encore d'être tout envahie par mon ombre comme ce soir. Dépassée par ma propre culpabilité, cette violence intime que je continuais de m'infliger. Bien sûr que j'avais du mal à me pardonner ce meurtre. Et que le sursaut de rage qui m'avait fait passer à l'acte me faisait encore frissonner. Ces réminiscences et le tumulte intérieur qui les accompagnait me décourageaient. Parce que je n'avais jamais éprouvé aucun plaisir honteux dans la souffrance. D'aussi loin que je me souvienne, cela n'était pas dans mon caractère. Dans les groupes de parole, j'avais été confrontée aux traumatismes enfouis de mon enfance. J'avais reconnu mes failles, ma surprenante capacité de déni de la réalité, ma grande vulnérabilité aux jugements d'autrui et à leurs critiques. J'avais osé regarder mon ombre et réaliser que je m'étais construite dans le regard que les autres portaient sur moi, c'est-à-dire sur une illusion. Il fallait rebâtir, retrouver l'essence, les sentiments véritables de l'enfant belle et singulière que j'avais été. Panser les blessures qu'avaient laissées ces années à courir les compétitions, poussée par des parents rigides et inconscients. Et comprendre que la confusion engendrée par les trappes à gonfler et à rétrécir l'ego que sont les concours m'avait pour ainsi dire prédisposée à être modelée, à me nier, à abdiquer. En fait, j'avais bien inconsciemment donné des armes à mon agresseur. Et consenti à cette danse funeste.

En rencontrant d'autres femmes ayant subi le même type d'abus, j'avais été surprise par leurs qualités, leur sensibilité, leur intelligence. Contrairement aux clichés d'usage, elles n'étaient pas toutes des victimes dans l'âme. Je m'étais aussi rendu compte que beaucoup sont choisies pour ce qu'elles ont en plus et que leur agresseur cherche à s'approprier. Le diable aime les bijoux, et rien ne l'arrête dans sa volonté de détruire ce qu'il envie le plus chez les autres. C'est la seule façon qu'il a de se supporter. Cela m'avait un peu consolée. Mais, il fallait me rendre à l'évidence, j'étais encore hantée.

J'éprouvais encore un sentiment de détresse fulgurante quand des images de Philippe s'imposaient à moi. Ces souvenirs involontaires et intrusifs constituaient une sorte de traumatisme récurrent dont je voulais me déprendre. Il y avait bien l'amnésie, mais elle effaçait aussi les souvenirs heureux. L'idée n'était surtout pas de me perdre à nouveau, de saboter le difficile travail intime que j'avais dû effectuer pour survivre après le drame. Oui, je savais que l'angoisse ne disparaîtrait pas du jour au lendemain. Dans mes bons jours, je reconnaissais ma souffrance comme une partie de moi digne d'estime. J'acceptais le fait que, face à ce type d'individu, on ne gagne jamais. Mais quelque chose en moi me disait que ma rencontre avec Philippe m'avait permis, malheureusement de la plus brutale des manières, d'apprendre l'essentiel à mon propre sujet et de percevoir le monde autrement. J'en étais ressortie moins candide, plus forte. L'épreuve ne s'effacerait pas, mais elle pourrait finalement devenir une expérience initiatique. C'est aussi pour approfondir cette foi nouvelle que je m'étais présentée à La Maison. Je me donnais cette chance. »

En rejoignant les autres femmes pour la méditation du soir, Nathalie se demanda à quoi ressemblerait sa vie maintenant si elle ne la jugeait pas. Son pas se fit plus léger.

14. Prière du soir

« La méditation est un des arts majeurs dans la vie, peut-être “l’art suprême”, et on ne peut l’apprendre de personne : c’est sa beauté. Il n’y a pas de technique, donc pas d’autorité. »
KRISHNAMURTI, *Se libérer du connu*

Dans la pièce éclairée aux chandelles brûlaient déjà des encens résineux choisis par Laurence, de l’oliban surtout, réputé pour ses vibrations de haut niveau qui purifiaient les lieux et clarifiaient les pensées. Son odeur miellée et fumée ajoutait au caractère sacré du moment. Giselle, Linda, Régine, Hélène, Marie-Maude, Laurence, Morgane et Nathalie avaient commencé leur marche circulaire. C’était la forme que prenait leur méditation collective, la meilleure façon enseignée par Régine pour se débarrasser des miasmes du jour et bien s’ancrer dans leur rituel nocturne.

Faire silence, se concentrer sur sa respiration, circumambuler trois ou sept fois selon l’état du groupe. Trois fois, comme un signe de la synthèse harmonieuse par laquelle on dépasse sa dualité physique et on se hisse à l’harmonie divine. Sept fois, comme une manifestation de l'organisation cosmique : les sept jours de la semaine, les sept corps - l'organisme physique et six autres, invisibles -, les sept degrés de la perfection, les sept pétales de la rose, les sept branches de l'arbre de vie de la kabbale. La totalité des énergies dans l'ordre spirituel. Pour la fin du jour et le renouveau du lendemain.

Les soirs de solstice et d'équinoxe, leur lente danse s'apparentait à un sabbat de sorcières ; aux pleines lunes, à celle de derviches tourneurs. Ce qui ne manquait pas de dégénérer en fous rires avant qu'elles se calment et reviennent au silence et à leur respiration. Il y avait longtemps que Régine avait décrété que répéter un mantra mille cinq cents fois provoquait une forme de ravissement, mais que de se regarder respirer était peut-être la méditation la plus sûre. Les huit cherchaient à être plus éveillées à elles-mêmes, à transcender le temps en se libérant de l'anxiété et de la peur du passé et de l'avenir. Il fallait tant de foi pour résister, faire la sourde oreille aux voix intérieures et s'abîmer en leur âme. Ce qui les motivait, c'était leur soif de vérité émotionnelle. Au début de la méditation, le plus compliqué, c'était d'être dans le présent. Selon la perception qu'elles avaient eue de la journée, toutes n'y arrivaient pas dans la minute. Loin de là. Surtout en ces temps troubles où leurs itinérants étaient intimidés et harcelés. Et qu'elles ne trouvaient pas de façons de les protéger. Parfois, il était bien difficile de ressentir la présence de la Source, d'atteindre cet état qui voit tout mais sans juger. De laisser ses pensées s'évanouir et couler vers le « grand tout ».

Régine disait que toutes les formes de pratique spirituelle existent simplement pour faire gagner du temps. Elles invitent à l'expérience de l'amour inconditionnel et de l'état de grâce, ici et maintenant. Le plus gros effort étant celui de se tourner consciemment vers l'intérieur et de s'y aligner. À ce moment, les filles étaient toutes disposées à s'engager complètement à être tranquilles, aimantes et passives. À laisser agir la Source. Avec la régularité, les ego s'érodaient, chacune entrait dans l'espace pur, sans murs et sans voiles. Là où n'existent ni passé, ni futur, ni identité. Cette dimension lumineuse qui n'est pas connaissable par l'intelligence et la raison, qui n'est ni quelque chose ni quelqu'un, qui n'a pas de forme mais qui nous habite et, bien plus, qui est soi-même, le meilleur, le seul vrai soi-même. Un moment de joie complète. Puis, au bout d'une heure, lorsque résonnait le gong, celle qui le désirait entamait sa version du Metta de la compassion bouddhiste.

« Que je sois heureuse
Que je sois en paix
Que je sois libérée de toute souffrance
Si j'ai fait du tort à quelqu'un
dans l'univers,
soit consciemment, soit inconsciemment,
j'en demande pardon

Que mes amis, mes sœurs, les êtres qui
me sont chers soient heureux
Qu'ils soient en paix
Qu'ils soient délivrés de toute souffrance
Que la personne neutre et la personne
difficile, inamicale ou hostile soient
en paix
Qu'elles soient délivrées de toute
souffrance
Que tous, nous jouissions du bonheur. »

15. L’évangile selon Régine

« Un saint est celui qui marche quand il marche, qui parle quand il parle, qui ne rêve pas quand il écoute, qui ne pense pas quand il agit. »
PAROLE ZEN

Puis Régine prenait la parole. Les filles appelaient ça « l’évangile de Régine ». Même si elle pouvait s’en amuser, cette dernière n’appréciait guère la référence à la tradition religieuse. Elle s’était toujours beaucoup interrogée au sujet des prêtres, des pasteurs, des imams, des maîtres zen ou des papes, qui font les fins finauds en grande robe brodée et en chaussures Prada rouges, des rabbins en longs manteaux et sombres chapeaux bordés de fourrure et des yogis enturbannés en tuniques chatoyantes. Toutes ces figures masculines qui, depuis des siècles et des siècles, avaient défini la spiritualité et comment elle devait être abordée, comprise et expérimentée. Régine s’était penchée sur les prières des grandes religions répétées encore aujourd’hui par des hommes qui rendent grâce au destin de leur avoir épargné d’être nés dans des corps de femmes. Décaper les différentes couches de valeurs patriarcales héritées de notre culture avait constitué un processus profondément perturbant. Elle avait étudié les textes qui perpétuent la croyance selon laquelle les femmes sont à la fois dangereuses et inférieures et qu'il faut donc les soumettre ou les renvoyer à des rôles de subalternes. Elle s'était détournée d'une Église qui n'offrait que déception, exclusivité et culpabilité. Le cœur est le lieu où nous devons nous rencontrer, disait-elle, et non pas dans une bâtisse prétentieuse où le prêtre, souvent par l'ineptie de ses sermons, ridiculise jusqu'à l'enseignement de Dieu et de Jésus, si tant est qu'il ait existé. De même, les héroïnes de la Bible, les moinesses de l'ancien Tibet, la Vierge Marie et certaines saintes idéalisées la laissaient circonspecte. Elle avait préféré choisir parmi tous les enseignements ceux qui lui semblaient les plus sages, et elle encourageait les autres filles qui marchaient sur la voie en sa compagnie à en faire autant. Être spirituelle n'était pas appartenir à une religion, parler de choses pieuses à tout instant et sourire béatement comme si on avait échappé au pire. La mièvrerie l'avait toujours indisposée. Vivre sa spiritualité était quelque chose de plus simple et de plus radical, de plus intérieur, mais aussi de plus difficile, une voie étroite, une expérience libératrice. Régine s'accommodait mieux de l'idée d'une Source - une énergie aimante, une intelligence infinie, le pur Amour auquel s'abreuvait l'Univers - que d'un Dieu ou d'une Déesse.

Elle n'avait besoin de la caution d'aucune autorité de ce monde et, pourtant, chaque personne qui venait à elle la reconnaissait. Sa sagesse et la justesse de ses actions les ralliaient toutes. Non pas comme autour d'un gourou, mais par l'inclination de leurs cœurs. Elles savaient discerner la vraie prêtresse dont l'autorité ne venait pas de l'extérieur, mais de l'intérieur.

> « Que vous servira-t-il de vous dire toute votre vie : j'ai fait le mal, j'ai commis plusieurs fautes ? Ce n'est pas sorcier de savoir cela. Faites plutôt entrer la lumière et le mal s'en ira à l'instant. »
> SWÂMI VIVEKANANDA

Fermant les yeux, Régine commença à parler, comme si elle avait lu dans le cœur de chacune.

« J'aimerais que vous sachiez que personne n'est coupable, excepté dans sa propre pensée. Et que cette culpabilité imaginée peut être démontée. Le péché tel qu'on l'a toujours conçu n'est pas réel. Il n'y a pas de jugement dernier, sauf celui qu'on porte sur soi-même. Nous n'avons qu'une seule personne à qui pardonner au cours de notre voyage sur terre et c'est nous-même. Tant que nous ne nous pardonnons pas, nous sommes le juge, le jury et la prisonnière. Pour chaque péché ou conception de péché, le pardon attend avec la réponse. L'Amour infini de la Source se trouve derrière la porte que notre absolution ouvre. Soyons patientes et engagées. Disposées à regarder chaque pensée douloureuse et inutile et à la laisser partir.

La culpabilité et les actions que nous regrettons proviennent d'une partie effrayée de notre personnalité où l'Amour manque cruellement. Nous devons prendre conscience de cette haine envers nous-même. Amenées à la conscience, nos expériences sont là pour nous informer à notre propre sujet et nous faire grandir, non pas pour nous remplir de peur et de remords. Ce qui se produit dans nos vies n'est ni positif ni négatif. C'est nous qui en décidons ainsi. Cela semble impensable pour la multitude, mais une maladie incurable, une grande perte ou toute autre épreuve peuvent être vues comme un cadeau plutôt que comme un châtiment, grâce au pouvoir de notre Amour et de notre bonne volonté.

Voyons notre "ego drame" pour ce qu'il est. Comprenons que nous créons notre expérience du monde à travers notre propre peur, mais ne nous flagellons pas pour cela. Pardonnons-nous tout ce que nous jugeons mauvais en nous. Cette faculté est un don présent en tout temps. Ce n'est pas quelque chose qui nous parvient ou qui peut nous être retiré. C'est un choix, le seul dont nous ayons besoin pour passer au-delà de l'expérience de la souffrance. Prenons la responsabilité d'illuminer d'amour nos propres blessures. L'illusion du malheur se termine quand elle est mise en doute et rejetée. De même, celui qui fait une erreur à notre égard est seulement un reflet de notre propre manque d'estime. Rappelons-nous que nous sommes l'unique responsable de notre façon d'envisager la vie. Responsable mais jamais coupable. La culpabilité est une façon tordue de chercher le pardon. Ne faisons pas l'erreur de donner à l'autre ce pouvoir. Cela le placerait en dehors de nous-même, là où il ne saurait jamais être. Ceux qui refusent de laisser aller leur ressentiment refusent simplement de se pardonner à eux-mêmes. N'acceptons pas d'être blessées, abusées, maltraitées, mais libérons nos semblables de tout attachement négatif. Prions pour eux, bénissons-les. Ne les lions pas à nous avec des pensées de vengeance. Mais, dans l'indulgence, laissons-les aller. C'est une chose qui semble difficile sinon inadmissible au début de la route mais qui, à mesure que nous l'expérimentons, prend tout son sens. La bonne volonté de nous pardonner et de libérer les autres de notre jugement est le plus grand pouvoir que l'on puisse connaître ici-bas.

Ce monde est une école où notre âme est venue apprendre. Ce qui signifie faire des erreurs et les corriger. Apprendre signifie ne pas avoir raison. Si nous ne nous trompions jamais, pourquoi aurions-nous besoin de venir à l'école ? Ce que nous voyons survenir dans nos vies, ce que nous jugeons bon ou mauvais n'est qu'illusion. En ce moment, il n'y a rien qui cloche. Tout est parfait. Nous sommes totalement aimées de la Source et aucune erreur ne pourra jamais nous couper de son Amour. »

À la fin de chaque prière collective, elles s'embrassaient toutes. Puis, elles se dispersaient. Morgane, la dernière à quitter la pièce, souffla les bougies et remit un peu d'ordre pour le lendemain. Depuis qu'elle avait été accueillie chez les filles, elle avait réalisé à quel point elle appréciait les moments de solitude dans cet environnement un peu surréel. Pour une fois dans sa vie, elle se sentait en parfaite sécurité. En peu de temps, elle était passée d'un squat bruyant et crasseux à cette salle feutrée hors du monde qui sentait l'église et où elle trouvait une incommensurable paix. Plus encore, elle avait l'impression que son corps réagissait aux prières. En fermant les yeux, en écoutant les sons, elle pouvait sentir les mots prendre forme dans son épine dorsale et dans son cœur. Ouverture, pardon, c'est ce qu'elle voulait être. En même temps, l'affection inconditionnelle de Régine la troublait. Elle ne savait pas trop comment y réagir. Son expérience lui avait appris à se méfier des figures d'autorité affective, des parents ou de ceux qui prétendaient en être. Sa foi en la bonté humaine n'était pas encore totalement acquise ni intégrée.

Pour les autres, c'était le moment de la retraite solitaire, de la lecture, d'un film, des informations télévisées ou même de sortir et de voir des gens si elles le désiraient. À condition de dormir régulièrement à La Maison et d'être au poste le lendemain matin. Giselle en profitait souvent pour aller à la rencontre des jeunes de la rue. C'était plus fort qu'elle, le macadam, la détresse et sa mission de travailleuse sociale l'appelaient. C'est comme ça qu'elle avait rencontré Morgane. Pour Régine, Laurence et Linda, c'était le temps du bain lénifiant de fin de soirée. Dans La Maison au cœur de la ville, tout était parfait.

16. L'âme des parfums

« Hélas ! Hélas ! Le monde est tout entier plein de mystères grandioses et de lumières formidables, que l'homme se cache à soi-même avec sa petite main. »
MARTIN BUBER, *Les Récits hassidiques*

Située au dernier étage, la salle d'eau ne ressemblait en rien à la pièce exiguë du passé. Quand Régine avait entrepris les rénovations, elle avait souhaité faire de ce lieu un sanctuaire chaleureux. Éclairé par un puits de lumière comme par un faisceau, l'élément principal en était une très spacieuse baignoire sur pattes cuivrées qui trônait au milieu de la pièce. Comme une espèce de mikveh, la petite piscine utilisée par les kabbalistes pour nettoyer le corps et l'âme. Elle aussi croyait que s'immerger dans l'eau, lumière liquide, était un des plus puissants outils de guérison spirituelle.

À gauche, en entrant, une salle de douche toute de céramique bleu des mers du Sud. À droite, un comptoir avec ses lavabos et ses miroirs pour accommoder les filles. Un espace adapté avait été ajouté pour Hélène. Aucune d'elles n'avait renoncé aux soins de la coiffure ni, parfois, du maquillage, mais pour certaines, au fil des mois ou des années passés à La Maison, le temps accordé à la représentation de soi s'amenuisait naturellement. Plus loin, près des fenêtres, un petit salon avec table basse, poufs de cuir travaillé posés sur un kilim turquoise et or, vestiges de sa période hippie. Et des chaises antiques bien rembourrées, recouvertes de ratine blanche, pour se détendre, lire et méditer après le bain. Comme un cocon parfumé, une sorte de matrice, le lieu invitait au rappel de souvenirs enfouis, à la divulgation de confidences, à l'apaisement d'inutiles soucis. Bien des secrets et des problèmes y avaient été mis au jour et abandonnés comme des peaux sèches après une exfoliation. Cette pièce unique servait aussi d'officine à Laurence pour la préparation de ses mixtures de bains magiques, comme on les appelait. Folle d'odeurs, d'herbes, de fleurs, elle s'était constitué, dans un coin plus sombre, un chœur aromatique avec de larges vasques de sels, d'herbes, de pétales, de fioles d'huiles essentielles. C'est dans ce saint des saints qu'elle élaborait ses formules destinées à faire planer, à régénérer et à rasséréner ses compagnes. Pour Laurence, plats savoureux et bains lénifiants faisaient partie du même type de nécessité. Une forme de bien-être qu'elle avait plaisir à apporter aux autres. C'était pour ainsi dire sa mission mineure. À mille lieues des couvents d'antan, La Maison ne prévoyait ni ascèse ni privation sensuelle dans son programme spirituel.

Dans une grande jarre, sur une base de sel de mer ou de sel d'Epsom, auxquels elle ajoutait de l'huile d'argan ou d'amande douce pour diluer la teneur des huiles essentielles et atténuer les effets desséchants des sels relaxants, Laurence mixait ses précieux cocktails selon son inspiration et les besoins spécifiques des filles. Pour préparer à la méditation, au voyage astral ou au sommeil, un mélange complexe d'huiles essentielles de lavande, de cèdre canadien, de pruche, de sauge du désert, d'oliban, de bois de santal, de genièvre, de rose et de foin d'odeur. Pour contrer la tristesse et le découragement face aux misères qu'elles côtoyaient, de l'ylang-ylang, de l'oliban, de la sauge sclarée en parts égales. Dans un groupe de femmes de tous âges, il arrive que les humeurs ne vibrent pas au même diapason. Pour restaurer le terreau émotif du groupe, Laurence préparait son essence spéciale composée de géranium, de lavande, de rose, sans oublier la sauge sclarée, particulièrement bénéfique pour les femmes. En compagnie de Linda la médium, elle concoctait même des élixirs de cristaux qui influaient sur les corps physique et éthérique pour rétablir l'harmonie générale et éveiller la conscience. Quartz rose, hématite, malachite, améthyste, obsidienne, œil de tigre, labradorite, lapis lazuli, aquamarine étaient placés dans des bols d'eau purifiée, chargés des énergies des deux femmes en état méditatif et déposés dans le jardin. Le soleil et la lune achevaient d'infuser de hautes vibrations pendant quelques jours. Laurence embouteillait le liquide et Linda en prescrivait quelques gouttes à mettre sous la langue ou à ajouter aux bains. Cette activité avait commencé par curiosité mais, au fil du temps et des expériences ultra-sensorielles bienfaisantes, elles avaient affiné leur rituel.

La cuisinière-herboriste avait aussi remarqué que les parfums agissaient sur l'état physique autant qu'émotif. Elle s'était donc munie d'un atomiseur et vaporisait ses mélanges dilués dans de l'eau de source à l'entrée de la grande salle avant les repas de midi. Bergamote, citron, eucalyptus, orange et théier pour donner un coup de pouce au système immunitaire par temps de grippe. Camomille, ylang-ylang, jasmin, patchouli et rose pour apaiser la colère. Bergamote, géranium, lavande, néroli, oliban et rose contre l'angoisse. Elle observait alors des changements de vibrations - donc d'attitude - chez ses convives. À la fin des repas, on servait bien sûr café et thé pour tous, mais elle y ajoutait toujours une tisane impressionniste qu'elle avait préparée le matin même, guidée par son nez et son pendule. Une activité qu'elle effectuait avec concentration et humour. L'utilisation du pendule rendait l'opération ludique. Et les résultats étaient pour le moins surprenants et justes la plupart du temps. Sa palette était large. Tilleul, lavande, camomille, réglisse, écorces de citron, d'orange, anis, cannelle, hibiscus, cynorrhodon, verveine, romarin. Cette herbe et pas celle-ci, cette écorce plutôt que celle-là. Personne n'était forcé de croire aux bienfaits de ses infusions ésotériques, mais elles étaient si délicieuses que les habitués, les femmes surtout, avaient fini par la préférer au traditionnel café.

17.

Après quelques années d'errance dans la rue, Maryse avait enfin réussi à obtenir un petit appartement supervisé, mais elle continuait à fréquenter La Maison parce qu'elle adorait les filles, qu'on y mangeait si bien et que cela lui faisait rencontrer du monde. Parfois, elle y travaillait même comme bénévole. Un après-midi, tandis qu'elle quittait les lieux, elle fut surprise de voir deux gars qui prenaient, de leur camion, des photos d'elle et de La Maison. Elle traversa la rue, le poing en l'air, pour leur demander ce qu'ils faisaient. Le camion fonça sur elle. Elle eut à peine le temps de se jeter sur le trottoir pour se protéger. Elle fut quitte pour quelques éraflures, mais cet événement lui enleva un peu sa confiance chèrement acquise. Le lendemain, elle raconta son histoire aux autres abonnés de la soupe populaire pour se rendre compte qu'elle n'était pas la seule à avoir eu affaire aux deux types du camion noir. Les langues se délièrent. Needle raconta qu'un matin où elle essayait désespérément de se trouver une veine à piquer dans la ruelle à côté de La Maison, les brutes l'avaient entourée et s'étaient mis à lui gueuler dessus. « Décâlisse de là, estie de pute, on veut pus te revoir dans le secteur, on fait le ménage. On va t'le défoncer pour vrai, ton beau p'tit cul. » Needle - c'est son extrême maigreur et ses habitudes qui avaient valu ce surnom à la prostituée transgenre - avait été tellement secouée par l'agressivité des deux gars qu'elle était arrivée à La Maison en état de choc. D'autres racontèrent comment on avait tenté de leur faire peur et de les décourager de se rendre à la soupe et aux consultations. Habitués à se taire, tous avaient fait l'omerta sur le harcèlement brutal dont ils étaient les victimes. Mais c'en était assez. Maryse allait parler.

18. Celle qui ne baisait plus

« Que se passerait-il si une seule femme
devait dire la vérité sur sa vie ?
Le monde exploserait. »
MURIEL RUKEYSER, *Käthe Kollwitz*

Quand elle était arrivée à La Maison, Marie-Maude n'avait pas encore renoncé à ses tenues de filles qu'on voit au bras d'hommes riches dans les halls de grands hôtels et les restaurants hors de prix. Ses vêtements étaient juste assez moulants, juste assez voyants. Robes courtes mais pas trop, faites de matières soyeuses, sans manches, corail, chartreuse ou bouton d'or - des couleurs seyant exclusivement à la carnation de quelques rares créatures -, escarpins à talons vertigineux, Rolex et lourde gourmette au poignet, cabochon de diamant au doigt faisaient partie de sa personnalité, ou plutôt de son branding. Versace, Cavalli, Vuitton, Louboutin, pourvu que l'ensemble suscite l'attention requise. Ses cheveux caramel impeccablement taillés au carré trahissaient la patte du coiffeur new-yorkais à plusieurs centaines de dollars la coupe. Elle débarquait de ce qu'elle avait décrété être son dernier voyage de pute. À trente-cinq ans, cela faisait trop longtemps qu'elle menait cette vie en apparence frivole. Séduire, divertir, voyager autour du monde au bras d'hommes la plupart du temps mariés. Elle était devenue profondément déprimée de coucher avec des types qui la payaient pour sa virtuosité sexuelle et ses manières de fille de bonne famille. Tellement lasse de faire semblant d'écouter leurs sempiternels monologues au sujet de leurs non moins nombreux accomplissements. Artistes, hommes d'affaires, professionnels de la politique, de la médecine ou du droit, à cinquante ans passés, ils avaient la désagréable manie de se vanter non-stop avec plus ou moins de subtilité. En matière de sexe, elle avait tout vu, tout expérimenté, sauf les coups et blessures. Même si c'était juste un jeu, elle ne voulait ni en recevoir, ni en donner. Ses clients en étaient avertis. Cela avait éloigné certains hommes de pouvoir amateurs de petite fessée musclée et de soumission régressive. Mais elle n'en avait cure.

Au fil des ans, parfois, elle était bien tombée amoureuse d'hommes qui auraient régularisé la situation, mais elle ne parvenait jamais à s'abandonner en totale confiance à quelqu'un qui l'avait connue comme escorte. À vrai dire, elle ne se fiait guère non plus à elle-même. Sous ses dehors légers, elle était sa plus terrible juge. « Je suis une actrice porno avec des prétentions », se disait-elle dans ses jours gris. Son appétit de sexe et de plaisirs s'était émoussé au fil des clients solo, des relations avec le mari, son épouse et leur godemiché. Elle avait fait trop de compromis avec sa sensualité et sa conscience. Trop triché avec elle-même. Elle s'était dégoûtée et n'arrivait plus à se regarder en face. Ses avoirs soigneusement investis lui assuraient de quoi vivre confortablement jusqu'à la fin de ses jours. Il lui fallait un temps de repos hors du monde. Du moins, c'est cela qu'elle envisageait lors de son entrée à La Maison. C'est en se rappelant les propos de sa mère au sujet d'une compagne d'études excentrique qui avait établi une sorte de couvent laïque au centre-ville qu'elle avait décidé de rencontrer Régine et de se cloîtrer, pensait-elle, pour une année.

Ça lui avait pris quelques mois pour se départir de ce qu'elle croyait être une expression de ses goûts et de sa personnalité. Au contact des autres filles, dans l'exercice de ses nouvelles tâches quotidiennes, lors des méditations, elle avait retrouvé tranquillement le style baba cool soigné de son adolescence. Le cheveu était toujours soyeux, le visage imperceptiblement maquillé, les vêtements d'escorte de luxe avaient été remplacés par des pantalons flous et des tuniques aériennes. Son amour des bijoux ne s'était cependant pas démenti, elle portait ses bracelets et ses gros colliers ethniques rapportés de voyage. Mais, surtout, elle avait découvert son véritable don, qui n'était pas tout à fait celui pour lequel ses ex-clients se pâmaient. Quoique...

Marie-Maude avait toujours été très chaleureuse, très amicale. Voilà ce qu'on attendait des filles de son milieu. Être rebelle ou revêche était considéré comme très mal élevé. De toute façon, pour quelles raisons aurait-elle eu l'inélégance d'un mauvais caractère ? N'avait-elle pas reçu tout le confort matériel, l'éducation et les bons soins imaginables ? C'était du moins ce que son père, lorsqu'il était présent, aimait lui répéter quand elle manifestait une quelconque frustration. Au cours d'études en finance qui l'assommaient, elle s'était mise à faire la fête sérieusement, à voyager avec l'argent de la famille. Et surtout à mesurer l'impact de sa personnalité vibrante sur les hommes. Grisée par ce climat de récréation perpétuelle, elle avait fait le choix de ne plus jamais s'ennuyer dans la vie. Une décision qui allait de soi. Celle d'une enfant trop gâtée et trop laissée à elle-même pour développer une quelconque armature morale.

La vie ordinaire, telle qu'elle la percevait alors, lui semblait bien morne. Tranquillement, d'une fréquentation à l'autre, elle avait accepté cadeaux, bijoux qui en jettent, puis week-ends dans des palaces urbains et semaines de farniente dans des resorts au bout du monde. Jusqu'à ce qu'elle se rende compte que toute sa vie se résumait à une recherche d'évasion. En fait, comme bien d'autres, elle avait trouvé que le sexe était un moyen très valable de se fuir, tout en croyant avoir une attention exclusive et de l'intimité. Au début, du moins, dans ces moments-là, elle avait l'impression de vivre à plein. Elle commença à tarifer sa belle personnalité, son physique avantageux et ses appétits hors du commun. Des années plus tard, sa clientèle était triée sur le volet, et elle possédait une connaissance exhaustive de la nature masculine dans tous ses états.

> « Faire l'amour, en soi, ne libère pas les femmes. La question, c'est de savoir de quelle sexualité les femmes doivent se libérer pour la vivre bien. »
> SUSAN SONTAG

Maintenant qu'elle avait profité d'assez de temps et de silence pour se désintoxiquer de son style de vie, contempler les compartiments épars de sa personnalité et faire un peu de lumière sur ses véritables besoins, Marie-Maude repensait à ses clients avec une certaine tristesse. À l'idée qu'ils se faisaient de la virilité, qui était pour eux source d'une indicible insatisfaction. Les hommes qu'elle avait fréquentés étaient pour ainsi dire des gagnants au match de la vie. Ils avaient réussi selon les critères communément admis. La plupart s'avéraient pourtant incapables de la moindre intimité avec eux-mêmes et la sensualité était pour eux *terra incognita.* Ils étaient des machines qui devaient faire correctement ce que l'on attendait d'eux sans démontrer trop de failles. Réussir, être le premier, dominer le marché, leurs employés, pourvoir aux besoins de leur famille sans décélérer. Encore aujourd'hui, c'était leur principale façon de se définir comme mâle. La perspective était navrante.

Parlant de certains de ses amants, une ancienne compagne disait : « *Bad kissers go too fast to the genitals.* » À l'époque, ça l'amusait, cette obsession de bander à tout prix qui les rendait si prévisibles dans leurs demandes au lit. Tous ces types bien intentionnés qui s'appliquaient au cunnilingus en quêtant des yeux une médaille pour leur savoir-faire au lieu de s'enivrer du parfum musqué de son intimité et de laisser monter leur plaisir avec sa vague à elle. S'ils avaient pu s'abandonner aux mille et une variations des pressions de sa langue et de ses mains sur tout leur corps au lieu de tout miser sur la pipe. Ce n'est pas qu'elle détestait la fellation. Parfois, elle était attendrie, d'autres moments, très excitée de les voir à la merci de son moindre souffle. Ses clients n'étaient pas des mufles. S'ils avaient su tout ce qu'un homme peut accomplir avec un baiser ! Un frisson tellurique, l'appel pulsatif à la pénétration. Mais pas nécessairement dans la minute. Ils se seraient épargné l'angoisse de se demander s'ils allaient bander bien vite, bien dur cette fois encore et la faire crier de plaisir. Ils avaient cette lubie. Chaque cri faisait office d'étoile dans leur cahier de vrai homme capable de satisfaire une femme. Être bien élevée, c'était aussi s'époumoner au besoin.

« J'ai vu beaucoup d'hommes sans vêtements, j'ai vu beaucoup de vêtements sans hommes. »
RUMI

Souvent, quand les guerriers s'assoupissaient et que leurs muscles se détendaient enfin, Marie-Maude en profitait pour les effleurer du bout des doigts, les caresser du plat de la main pendant ce qui lui semblait des heures qu'elle avait l'impression de voler à la vie. Sa paume était attirée par les divers grains de peau - parfois plus douce que celle d'une femme -, la moiteur, la sécheresse, le hérissement des poils, les aspérités et les plages soyeuses. Tous ces courants frémissants, l'énergie infinie qui circulait sous l'épiderme, c'était magnifique. Au réveil, certains lui disaient qu'ils avaient l'impression d'avoir été drogués et de se réveiller comme neufs. Inconsciemment, ils la rétribuaient pour ça aussi.

À La Maison, les femmes parlaient aussi d'amour et de sexe. Elles n'avaient fait vœu ni de chasteté, ni - pire encore - de rectitude. Marie-Maude avait eu d'inévitables conversations à ce sujet avec Régine et toutes les autres, détails croustillants et considérations philosophiques émaillant la même discussion. Elles en étaient arrivées à une sorte de constat d'échec quant à la capacité des femmes non seulement de sentir, mais d'exprimer dans d'autres mots que ceux des hommes leur sexualité vue de l'intérieur. Elles avaient fait le tour de tout ce qu'elles avaient vécu. Et aussi de ce qu'elles avaient entendu d'autres femmes à ce sujet. Se faire prendre fougueusement, brutalement par ce que certaines qualifiaient de vrai mâle et fantasmer sur le fait d'être contrainte ou même violée était considéré encore comme quelque chose de très agréable et même de valorisant. Une preuve ultime du désir de l'autre où l'on n'a pas à assumer le nôtre. Il y en avait même pour se vanter d'être vaginales, cela étant censé faire état de leur supériorité au royaume des femelles. Pénétrer ou être pénétrée, comme si l'acte sexuel se résumait plus ou moins à ça, à quelques fioritures près. Il y avait de quoi se poser des questions. Mais pour dire franchement ce qui leur faisait vraiment plaisir et qui menait au total assouvissement, ce n'était pas si simple.

Hélène, la médecin, attribuait la faute de cette vision limitée au maudit cadre patriarcal, à l'intérieur duquel seules les caractéristiques mâles avaient été désignées comme étant des choses réelles. Les femmes en étaient ainsi venues à percevoir leur sexualité à travers l'expérience mâle. « Notre façon de ressentir la sexualité de l'intérieur a reçu le même traitement que notre spiritualité, elle a été bafouée, niée, idéalisée ou encore façonnée selon le modèle masculin », disait-elle. Régine pensait plutôt que les raisons de cette attitude étaient liées au long silence qui avait empêché les femmes de parler de ce qui était sacré pour elles.

Et que, tout comme la spiritualité, la sexualité était une expérience d'une indomptable subjectivité. « La Source est aussi présente dans l'extase de l'orgasme que dans celle de la prière méditative », ajoutait-elle. Laurence avait une vision plus organique des choses. Être une vraie femme, selon l'expression consacrée, n'était-ce pas porter la dignité et la reconnaissance profonde et véritable d'en être une ? Percevoir sa beauté unique quelle que soit son apparence sans avoir besoin d'être constamment rassurée à ce sujet ? N'était-ce pas, dans un environnement machiste, être la créatrice de sa propre vie, sans avoir besoin de séduire ou de craindre l'homme, sans s'intéresser aux jeux de pouvoir, sans extérioriser un masculin fabriqué ? Reconnaître chaque autre femme à travers une sororité complice, ainsi qu'une fraternité naturelle envers l'homme ?

L'expérience de Marie-Maude la rendait particulièrement sensible au caractère sacré de la sexualité. Tant qu'elle ne se sentirait pas prête à dire « Je suis à toi » dans le plus total abandon, elle préférait s'abstenir de toute relation sexuelle. Tranquillement, elle se rapatriait, elle recollait des morceaux, elle voulait devenir, enfin, entière. Peu importe le temps que cela prendrait. Elle ressentait l'excitation qu'il y a à devenir sincère avec soi-même. Pour parler selon les termes de Linda, la médium, elle se disait que le véritable amour survient quand une âme rencontre une autre âme. Peu importe l'âge, la religion, le statut social. Elle voulait parvenir à voir et à accepter tout d'elle-même et de l'autre. Mettre ce qu'on appelle les imperfections et les qualités sur un même pied. Cette recherche absolue d'authenticité n'avait rien à voir avec la névrose qui provient du besoin et qui passe pour de l'amour. Au contraire, plus elle serait libre, plus sa relation avec un autre être humain pourrait être nourrissante. C'est à cela que Marie-Maude aspirait. Et à rien de moins.

Entre-temps, ses talents étaient très appréciés à La Maison. Elle seule était capable de toucher les plus sales, les plus malades. Elle dénouait de ses mains magiques les épaules et les dos squameux, palpait doucement les doigts gourds et enflés des héroïnomanes. Sur les recommandations d'Hélène, la médecin, elle oignait de crème antiseptique les plaies infectées par les aiguilles, les démangeaisons, les engelures, les coups de soleil. Les vieux visages, les larmes âcres ne la rebutaient pas. Elle savait que, quand on est touché d'une manière aimante, c'est comme si on se faisait dire : « Je t'aime. » Elle l'avait réalisé sur le tard, quand elle avait cessé de se mentir. Ayant tellement nié et voulu cet amour pour elle-même, elle le donnait désormais sans compter. Souvent, elle pleurait tant son cœur en débordait. Elle en était venue à recevoir l'autre complètement dans sa qualité d'être humain. Elle voyait en chacun le mystère, l'émanation de la Source et en était comblée. Cela lui avait pris trente-six ans pour commencer seulement à effleurer cet état d'amour sans conditions. Quand elle touchait les corps, elle avait l'impression de devenir un canal, de recevoir les messages de toutes leurs douleurs enfouies et de les transmuter en apaisement par sa compassion et la chaleur de ses mains. Elle éprouvait une joie sans borne à être totalement présente avec chacun d'entre eux. À cet instant, tout était parfait dans l'Univers. Elle se disait qu'à bien y regarder, ce qu'elle avait considéré comme des erreurs dans sa vie n'existait pas. Elle avait ainsi appris des tas de leçons qu'elle n'aurait sans doute pas retenues si elle n'avait pas vécu cette vie avec toutes ces expériences jugées immorales. Si son existence avait un sens, c'était qu'il y avait de l'espoir pour aimer et accepter tous les morceaux de nous-mêmes. Nous sommes tous protégés et chéris malgré les apparences. Peu importe comment se déroulent nos vies, nous sommes ici simplement pour ouvrir nos cœurs, tendre la main, aimer, toucher, et communiquer les uns avec les autres. Ce qu'elle s'efforçait de faire de tout son être depuis qu'elle était arrivée à La Maison.

C'est à elle que Maryse choisit de parler. Elle lui raconta avec force détails et émotion les événements qui avaient troublé les itinérants dans les derniers mois. Marie-Maude n'eut aucun mal à la croire. C'était donc ça, la cause des crises et des éraflures que les filles soignaient. Elle allait en parler aux autres le plus tôt possible. Elle remercia Maryse de lui avoir fait prendre conscience de l'ampleur de la situation.

19.

Aux petites heures, un matin d'avril, alors qu'elle rentrait d'une nuit chez son amant, Laurence aperçut devant La Maison le fameux camion noir dont Giselle lui avait parlé. Deux types bidouillaient à l'intérieur. Sans peur, elle s'approcha, tapa dans la vitre et leur demanda ce qu'ils foutaient là. « Vous êtes pas vite de comprenure, les tites madames, on va finir par mettre le feu à votre sacrament d'asile de fous. Décrissez ! Dis-lé à ta chum Régine. On est tannés de niaiser. » Laurence s'écarta en souriant, ce qui sembla enrager le plus menaçant des deux, qui se mit à vociférer. « Vous allez avoir des nouvelles de mon boss. On va s'occuper de vous autres pour vrai. » Alors qu'ils partaient en faisant crisser les pneus, elle mémorisa le numéro de la plaque. De son portable, elle téléphona à son ami le policier Marquis, qui la renseigna sur le véhicule de compagnie. C'était la propriété de Langlois Holding.

Il en profita pour lui faire part de la réputation des promoteurs sans scrupule. Il coupa court, ce qui n'était pas dans ses habitudes. Il en avait déjà beaucoup dit.

20.

« Penser ne résout pas nos problèmes. Penser est évidemment une réaction. Il n'y a de possibilité de création que lorsque l'esprit est vide. »
KRISHNAMURTI, *La Première et Dernière Liberté*

En attendant, il fallait trouver le moyen de faire cesser l'intimidation et la violence. Laurence se demandait comment Régine allait régler la situation. Toutes les filles, alertées par Marie-Maude, se réunirent le soir même pour trouver des solutions. Régine s'était excusée de la réunion pour cause de grande fatigue. Une énergie discordante régnait sur le comité des sept. L'inquiétude les gagnait. C'était une période trouble qui ne ressemblait à rien de ce qu'elles avaient connu. Les filles parlaient de ce qu'elles ressentaient et n'arrivaient pas à comprendre le silence et l'inaction de Régine. Linda aussi était étrangement silencieuse et tentait de les apaiser. Elle leur rappelait de remettre la situation dans les mains de plus grand qu'elles, mais la sérénité et la foi de chacune étaient mises à l'épreuve. Malgré leurs meilleures intentions pour protéger les itinérants, leurs idées semblaient dérisoires, leurs solutions, futiles.

21. Celle dont le cœur est resté pur

« La question révélatrice de la vie d'une personne est de savoir si, oui ou non, celle-ci est en rapport avec l'infini. »
CARL JUNG

Quelques jours après que Giselle l'eut ramenée à La Maison un soir pour qu'elle puisse se reposer et se refaire des forces, Morgane disait : « Toute ma vie, je me suis sentie comme un grain de sable dans un engrenage infernal. J'essayais de survivre dans ce monde. Je pense que j'ai enfin trouvé ma place. » Cela faisait longtemps que Giselle l'écoutait à la faveur de ses visites nocturnes dans un squat du centre-ville. Au fil de leurs conversations, la travailleuse sociale avait pu apprécier son exceptionnelle résilience et une rare qualité de douceur. Pourtant, il n'y avait rien de tiède chez la jeune femme. Mais quelque chose d'étrangement non entamé et de lumineux transparaissait malgré ses expériences sordides.

Giselle avait discuté de son cas avec Régine, qui non seulement avait accepté de l'accueillir parmi elles mais s'était réjouie de sa venue et en avait averti Linda. « Voilà enfin celle qui nous manquait pour créer un parfait égrégore, avait dit la médium, sibylline. C'est une vieille âme bien résolue à se débarrasser des scories de son karma. Ramène-la-nous ! »

Morgane avait vingt-trois ans, un look de punkette attardée et l'expérience de mille vies. Chacune des femmes qui se trouvaient à La Maison était à sa façon une survivante. Elles avaient toutes connu des dysfonctions familiales au cours de leur vie, mais aucune d'entre elles n'avait eu un parcours aussi chaotique que Morgane. Abandon à la naissance, séjours cauchemardesques dans quelques familles d'accueil, puis centre jeunesse d'où elle avait été éjectée à dix-huit ans, comme la loi l'impose. Désert, prison, saisons en enfer, voilà en quoi avait consisté sa courte vie. Elle était en quelque sorte la *poster girl* d'une société qui se fout de ses enfants.

> « S'il y a beaucoup de demeures au ciel, il y a beaucoup de chemins pour y arriver. »
> SAINTE THÉRÈSE D'AVILA, *Le Château intérieur*

« J'ai commencé très jeune à boire beaucoup, mais surtout à expérimenter toutes les substances qui me tombaient sous la main. Rien de ce qui me permettait de me geler n'était à mon épreuve. En sortant du centre jeunesse, sur un coup de tête, je suis allée vivre avec un tatoueur que j'avais rencontré deux semaines auparavant. À ce moment-là, mes habitudes de coke, de speed et de pilules étaient à leur maximum. Je me cherchais un emploi qui conviendrait au rythme effréné de mon système nerveux. Je me suis trouvé une gig de danseuse dans un club du centre-ville. Je consommais tous les jours. En fait, je ne sais pas quel autre job j'aurais pu faire, car j'étais tellement high qu'il fallait que ça aille vite. Mon état devait avoir quelque chose d'attirant parce que je pognais en crisse. Une jeune femme toujours très de bonne humeur, très tatouée, suffisamment bien foutue pour danser toute nue. Et complètement partie ! J'étais quelqu'un qui donnait aux hommes l'occasion de s'apitoyer. Je vais m'occuper de toi, qu'ils disaient. Si je n'avais pas été aussi innocente, j'aurais pu me faire tuer. Je n'avais pas peur, même en me réveillant ensanglantée dans des toilettes de motel crasseux. Il n'y avait rien pour m'effrayer, sauf le manque de dope. Tout était bienvenu pour ne pas voir, ne pas sentir, ne pas me poser de questions, ne pas dire non. Je filais à toute allure, ayant depuis longtemps anesthésié mes sens et mes sentiments. Comment sortir de ça alors que c'est tout ce que je connaissais depuis l'adolescence ? Le gros bon sens et les AA auraient dit : "En touchant le fond." Mais par une espèce de grâce, j'ai rencontré dans la rue, un jour, un éducateur qui m'avait aimée et aidée autrefois et qui m'avoua sincèrement être déçu de ce que j'étais devenue.

Cela m'a émue profondément, assez pour envisager la possibilité d'une autre vie où je vaudrais quelque chose à mes yeux. J'ai décidé de descendre toute seule de mon manège. Je me souviens d'un soir, peu après, dans les loges au bar. Un moment où tout est devenu clair pour moi. J'ai regardé la salle avec ses lumières criardes, son atmosphère sale et j'ai senti quelque chose de profond à propos du sens de la vie. Je me suis rendu compte que j'étais toujours restée au-dessus des choses vraies. J'ai eu une telle bouffée de compassion pour les pauvres types, les salauds et les autres qui étaient assis là. Et pour moi et ma vie de fou aussi. J'ai eu l'impression que mon cœur s'envolait. Et, là, j'ai eu la frousse. J'ai éprouvé une gratitude débordante envers le seul fait d'exister, malgré tout ce que j'avais fait pour me fucker le corps et l'esprit. »

> « Si tu es à la recherche de la demeure de l'âme, tu es une âme. Si tu es en quête d'un morceau de pain, tu es du pain. Si tu peux saisir le secret de cette subtilité, tu comprendras : chaque chose que tu recherches, c'est cela que tu es. »
> RUMI

« D'une certaine façon, on aurait dit que je savais exactement quoi faire pour me désintoxiquer. Au début, j'ai pris de l'Ativan et continué à fumer du pot. J'ai cessé de danser, quitté l'appartement en y laissant toutes mes affaires, fréquenté les maisons pour itinérantes de manière à me nourrir régulièrement. J'ai même assisté aux quatre-vingt-dix meetings des AA d'affilée. Mais je ressentais dans mes tripes un besoin de n'être avec personne d'autre que moi-même. J'ai erré et j'ai quêté en ville pendant des mois en tendant la main, plusieurs heures tous les jours en silence, m'arrêtant parfois dans les églises, avant d'échouer dans ce squat où je me sentais plus en sécurité que seule dehors. Je ne consommais rien, je parlais à peine, cachée derrière des jeans et des sweats informes, je n'avais donc de conflit avec personne. Je faisais mes petites affaires dans mon coin. Même dans le pire des downs, j'ai toujours senti en moi une part d'espoir, un désir de paix intérieure qui me semblait remonter à une autre vie que j'aurais vécue bien avant. Une faible lumière qui me guidait malgré tout. Dans mes délires de dope et même lorsque je m'enroulais autour du poteau en dansant, dans ma tête, je revoyais, comme dans une scène de film, la même image qui m'apaisait. J'étais une religieuse sereine agenouillée dans la chapelle d'un couvent de femmes. Quand Giselle est venue vers moi au squat, j'ai réalisé que la lumière que je cherchais était disponible. Et que mon film intérieur avait peut-être un sens. »

Pendant ses premiers jours à La Maison, Morgane répétait : « Je ne sais pas qui ou quoi prier. Je pense que ce que je désire le plus maintenant, c'est d'apprendre à prier. Je ne sais pas qui est ou ce qu'est Dieu. Mais je sens qu'il existe un monde invisible dans lequel se trouvent les clés de l'Univers. Je veux m'éveiller assez pour entrer en contact avec cette réalité. Je veux ce contact. J'ai toujours eu l'impression que j'ai été là déjà. Je sais que ma vie va changer. » Ce désir sincère touchait profondément Régine et Linda, mais les faisait sourire aussi.

C'est Régine qui parla la première : « N'essaie pas d'entrer dans le cercle de la grâce en forçant, le passage se fait de lui-même. Tu dois seulement être disposée à t'aimer. Ne cherche pas à l'extérieur de toi la Source de cet Amour éternel. Celui-ci est omniprésent et sans forme à l'intérieur de chacun de nous. Il est ton propre cœur battant. C'est là que ta foi doit être placée. Continue à te fier à ta lumière intérieure comme tu l'as déjà fait. Cela prend du temps et de la constance, mais c'est puissant. La question n'est pas de savoir comment développer sa spiritualité, mais surtout de la vivre de façon authentique. Pour certains, dont tu fais peut-être partie, oui, cela passe par la prière et la solitude. Pour d'autres non. La voie spirituelle n'est pas une voie réglée et droite. Elle est continuelle invention. Ce sont ses divers chemins qui sont intéressants. »

Linda renchérit : « Nous sommes restées accrochées à une relation infantile avec un Dieu représenté comme un père qui nous dirait quoi et comment faire. Mais vivre de manière spirituelle consiste simplement à prendre soin de nos pensées, de nos actes et des gens qui nous entourent. Tu n'es pas ce que tu penses être, une accumulation de tes croyances et de tes gestes. Il n'y a pas d'erreur qui ne serve. Même ce que tu considères comme avoir été du temps perdu à te détruire. Quand tu te seras débarrassée de ta tendance à la culpabilité et que tu t'identifieras à ton âme éternellement pure, tu prendras conscience de ce que tu as toujours été au fond. Un être sans tache, pleinement aimé dès le tout début, absolument sauvé aux yeux de la Source qui est toute compassion. Ce que tu dois savoir maintenant n'est écrit nulle part. Tu possèdes déjà cette connaissance. Tu dois la déployer à l'intérieur de toi. Ici, nous pouvons t'aider et t'encourager avec tout notre amour, mais personne ne peut t'enseigner comment t'aimer. »

Au fil des jours passés à La Maison, la progression se fit lentement, mais sans arrêt, insensiblement, dans une espèce de spontanéité sans drame ni tension jusqu'au moment où, sans qu'elle s'en rende compte, elle se sentit comme dans un autre espace. Elle avait appris à jouer à l'oreille. Elle eut l'impression que sa vie était bouleversante de surprises. Elle était revenue dans son cœur, à la Source. C'est le désir de chaque âme en exil dans ce monde.

22. Ceux qui viennent de loin

« La maîtrise des autres est la force. La maîtrise de vous-même est la vraie puissance. »
LAO TSEU, *Tao Te King*

Intriguée par les informations du policier Marquis sur l'identité des intimidateurs, Laurence s'était mise à fouiller sur Internet pour en savoir davantage au sujet de Langlois Holding, une des plus grandes firmes de construction de condos dits « de prestige ». Elle n'avait pas tardé à découvrir que Marcel, le père des actuels dirigeants, avait été le chef d'un gang de motards criminels de la Rive-Nord avant de se ranger, en quelque sorte, et de faire son argent dans la ferraille et le recyclage. Cela l'irritait. Combien de temps fallait-il à des criminels pour s'acheter une respectabilité et devenir fréquentables ? Une ou deux générations, tout au plus. L'histoire est remplie de vendeurs de bagosse et autres foreurs de puits de pétrole aux pratiques douteuses qui ont fait fortune et dont les fils sont devenus sinon président des États-Unis, comme le légendaire John F., du moins de riches hommes d'affaires et des industriels de toutes sortes. L'ex-Union soviétique est remplie de ces oligarques qui croulent sous le fric, exploiteurs de richesses naturelles déguisés en mécènes, voire en bienfaiteurs de l'humanité, ou vendeurs d'armes accueillis à bras ouverts dans la plupart des pays du monde. À Montréal, quelques collèges privés reçoivent toujours leur contingent d'enfants de mafieux reconvertis dans de lucratives business, qui côtoient la progéniture de politiciens, de professionnels parfois véreux et de vedettes des médias. Quand les rejetons ont un peu de talent, ils étudient le droit ou partent dans une université américaine effectuer un MBA qui fait foi de tout. Frédérick Langlois était le résultat de ce parcours sans faute. Sa présence était courue dans les bals de charité et les activités mondaines. Ouverture de restaurants huppés, grand prix automobile, premières de films. C'était lui le grand patron de Langlois Holding, il faisait fructifier la fortune du père et, grâce à ses relations et à des fiscalistes de haut vol, il avait réussi à blanchir l'argent sale de la famille. Yannick, l'autre frère sur le berceau duquel les fées ne s'étaient pas spécialement penchées, occupait le poste de vice-président. Mais Marcel, le bonhomme, n'était jamais bien loin. Il coulait une retraite dorée au bras d'une pépée botoxée, mais était toujours disponible pour prodiguer ses conseils de gestion des situations embêtantes. Certaines des méthodes qu'utilisaient ses fils, aujourd'hui reconvertis dans l'immobilier de luxe, semblaient tout droit sorties d'un mauvais film de bandits. Intimidation, extorsion, voies de fait, vandalisme, ils ne reculaient devant rien. Des façons de faire aux résultats éprouvés. Sauf que la seconde génération ne salissait pas ses costumes Armani. Deux sbires sous la gouverne de Yannick Langlois étaient affectés à ces tâches. Ces deux-là, à bord de leur VUS aux vitres teintées, traquaient les sans-abri aux abords de La Maison.

« Les gars, quand on a des compétiteurs dans le fromage, on met le feu aux pizzerias qui n'utilisent pas notre marchandise. Quand on veut acheter un local qui n'est pas à vendre à notre prix, on commence par le décrisser, pis on maganne le propriétaire, disait Marcel de sa voix rocailleuse. Tabarnak, vous allez pas vous laisser niaiser par une gang de folles qui tiennent une soupe populaire. C'te maison-là, c't'une des plus belles, des mieux situées du Vieux-Montréal, on va faire des condos de luxe là-d'dans. Faites-les chier de peur dans leurs culottes, c'est pas des tites madames qui vont vous arrêter. Frappez leurs clients, faites-leur n'importe quoi. C'est des itinérants, estie ! Ça devrait pas être dur. »

Cette année, Frédérick Langlois faisait partie de la liste des personnalités les plus influentes. Laurence avait toujours été sceptique devant ces palmarès de gens dits importants et l'utilisation d'éléments extérieurs comme le statut et la richesse financière pour définir et hiérarchiser le pouvoir. Il est quand même curieux que quelqu'un se trouve au sommet de la liste une année et disparaisse l'année suivante. Le pouvoir de cette personne était-il réel ou seulement dans sa position de dirigeant d'entreprise ou de chef de parti politique par exemple ? Poser la question, c'était y répondre. Cela l'étonnait toujours que l'on puisse confondre les deux aussi bêtement. « Bienvenue au temps du mensonge triomphant », se dit-elle en éteignant son ordinateur.

23. Au-delà du pardon

« La véritable indulgence consiste à comprendre et à pardonner les fautes qu'on ne serait pas capable de commettre. »
VICTOR HUGO, *Philosophie prose*

« Comment ferons-nous pour protéger notre monde et poursuivre notre mission ? » se demandait Laurence avec anxiété. Sa colère séculaire contre l'injustice et son sentiment d'impuissance face à la violence la submergeaient. Sa peur de voir l'œuvre de La Maison détruite par ces barbares de Langlois la révoltait. Quand elle se sentait envahie par ce genre de pensées, Laurence se rendait dans la salle de méditation où elle était certaine de retrouver Régine. Celle-ci y passait le plus clair de ses jours dans une solitude habitée. Elle était la fondatrice de La Maison et avait beaucoup participé au fil des ans à toutes les activités quotidiennes. Aujourd'hui, à près de soixante-dix ans, elle se consacrait principalement à ce qui lui semblait être le plus utile pour la communauté. Un travail solitaire et silencieux d'amélioration du monde. Cependant, elle appréciait toujours les discussions avec les filles. Quand elle vit arriver Laurence tout ébouriffée, elle sourit.

– Veux-tu bien me dire d'où tu viens? Qu'y a-t-il?

– Je les *écouillerais*, ces deux gros mongols! rugit Laurence.

– Qui ça? Les Langlois?

– Tu sais pas ce qui arrive depuis des mois?

– Bien sûr que je suis au courant, lui répondit la doyenne en lui caressant le front.

Elle lui parla comme elle se parlait à elle-même.

– Calme-toi, écoute-moi. Il n'y a pas de tragédie pour la personne spirituelle. Réalise d'abord que même quand une personne comme toi arrive à une sorte d'intelligence cosmique, il lui faut des années pour l'intégrer dans sa vie de tous les jours. Que c'est un travail continuel. Ne te juge pas d'être en colère, remplie de doutes et troublée par ton apparent manque de sérénité. La violence physique dénote une impulsion suicidaire. Ce n'est pas un mystère, seul celui qui souffre frappe, et je me demande combien parmi nous ne souffrent pas. Combien ne heurtent pas les autres d'une façon ou d'une autre. La différence entre toi et celui qui cogne n'est pas si grande que tu le penses. Tu m'as même dit que tu allais les castrer, ces deux types.

Elles rirent de bon cœur. Régine poursuivit:

– Le pouvoir authentique commence lorsque tu réalises que tu choisis ce que tu penses, dis ou fais. Ceux qui s'en prennent physiquement aux autres ont le sentiment qu'ils n'ont pas le choix. Ceux qui savent qu'ils ont le choix ne tuent pas.

– C'est bien beau ça, dit Laurence, mais avec des mercenaires de la sorte, qu'est-ce qu'on fait ? Je ne suis pas certaine qu'ils soient enclins à nous écouter, même pas une seconde.

Régine continua :

– Tu manques de foi, Laurence, ils n'ont pas à nous entendre. Et nous n'avons pas besoin de les rencontrer ou de leur parler. Les solutions qui proviennent de pensées aimantes sont sans limites, tu verras.

> « Au-delà du bien faire et du mal faire existe un espace. C'est là que je te rencontrerai. »
> RUMI

– Ne ressens-tu pas un peu de compassion pour l'enfant blessé dans l'homme qui commet ce genre d'actes ?

– Ouais, vu comme ça, dit Laurence, à moitié convaincue.

– Commence par enlever ton masque de supériorité morale, c'est là que le pardon commence. La prochaine fois que tu seras prête à juger et à condamner, fais une pause et laisse l'autre entrer dans ton cœur, bénis-le. Tu ressentiras une légèreté du seul fait de le libérer de tes perceptions étroites. Il faut s'aimer suffisamment soi-même pour accepter son frère, aussi violent soit-il. Personne ne donne de l'amour sans en recevoir simultanément, crois-moi. Tu peux changer d'avis au sujet de chaque pensée implacable ou inquiétante que tu entretiens et en choisir une autre qui te libère et t'apporte de la joie. Continue à travailler à changer tes pensées. Il est plus que temps d'arrêter de nous punir pour nos fautes et de nous acharner sur les criminels dans nos sociétés. La punition ne fait que renforcer le rejet. Cela est la voie de la violence telle que nous l'expérimentons depuis toujours. L'Amour est bien plus subversif que la colère et la violence. La personne qui réalise sa propre peur sans la projeter hors d'elle-même menace le jeu du monde. Celle qui assume ses pensées assassines et cherche à trouver leurs racines dans sa propre conscience menace l'échafaudage moral de la société telle qu'elle est.

Cette vision des choses rejoignait la part rebelle dans l'âme de Laurence.

– Si tu perçois quelqu'un comme étant mauvais, tu viens de permettre à la peur et au doute d'entrer dans ton mental. Chercher à l'emporter sur un supposé ennemi revient à le fortifier. La vérité est que chaque pensée prospère. Chaque pensée que tu entretiens ajoute son énergie positive ou négative à la situation en cours. Veux-tu envenimer les choses, veux-tu ajouter au chaos ?

– Bien sûr que non, répondit Laurence.

– Alors, si tu souhaites dissoudre la violence, n'affole pas davantage les apeurés en les chassant de ton cœur. Le mauvais, le mal tel que nous le concevons n'est qu'une énergie en demande de transformation. Nous allons travailler là-dessus en groupe. Tout rentrera dans l'ordre et mieux encore, je le sais. Aie confiance.

Elles se firent une accolade. Régine lui dit :

– Quand tu demandes du secours, tu reconnais qu'il existe quelque chose de plus grand que ta crainte. Tu indiques en même temps ton désir de te déposer dans cette puissance. Prions ensemble, prie aussi pour moi.

Prière de Laurence à la Source

Je n'arrive pas à regarder mon frère de façon juste, car je le juge. Je suis disposée à changer mon opinion sur cette situation, aide-moi à la regarder non plus avec les yeux de la crainte, mais avec ceux de l'Amour. Je suis prête à traverser ma peur maintenant. Aide-moi. Merci.

24.

Au cours des semaines qui suivirent, chaque jour, quelque chose de troublant se produisait. L'atmosphère frémissait d'une espèce de violence larvée. Engueulades, chuchotements, silences à l'arrivée de l'une ou l'autre des sept. L'énergie s'était densifiée au réfectoire. Les itinérants se chamaillaient pour des vétilles. Un clan se formait à un bout de table. Les consommateurs de drogues frelatées étaient particulièrement survoltés et les méthodes habituelles des filles ne parvenaient pas à les calmer. Repas soignés et dévouement n'avaient plus le même effet. Linda, Giselle et Laurence, qui avaient l'habitude de prier ou de réciter un mantra en travaillant, furent mises à contribution. *Om shanti, shanti*, la situation en avait bien besoin. Elles avaient l'impression qu'une force plus grande que leur dévotion était à l'œuvre. Ce qu'elles ignoraient, c'est que les sbires de

Langlois Holding avaient changé de tactique. Au lieu de s'en prendre physiquement aux itinérants, ils avaient repéré les plus vulnérables et leur avaient offert de l'argent pour mettre la pagaille. Comme prévu, les pauvres avaient pris le fric et acheté davantage d'alcool et de drogue. Pour les Langlois, l'idée était d'attirer de la chaleur sur La Maison, comme ils disaient dans leur jargon. Un autre moyen de faire céder le maire. Ce n'était pas tout de l'acheter, « la crisse de cabane », il fallait aussi faire modifier le zonage.

C'est un jeudi que la bataille éclata. Alors qu'elle s'apprêtait à faire part à Marie-Maude de l'intimidation qu'elle subissait de la part des dopés qui la traitaient de stool, Maryse fut poignardée à l'avant-bras. Certains voulurent se porter à son secours, mais ils en furent empêchés dans le plus grand brouhaha : renversement des tables, assiettes jetées à la volée, précipitation à fuir la place. D'autres itinérants, comme Robert, étaient tétanisés, pleuraient ou criaient. Les filles réagirent rapidement, alertèrent la police et les services d'urgence. Une dizaine de voitures arrivèrent suivies par des policiers à vélo. Les flics envahirent La Maison, fouillèrent tous les recoins, prirent les déclarations. Ils bloquèrent le quartier, parvinrent à mettre la main sur le suspect complètement halluciné et embarquèrent aussi deux de ses complices. La Maison et son œuvre étaient connues des policiers, qui s'y arrêtaient à l'occasion au cours de leur ronde. Leur présence dérangeait également filles et itinérants. Il y en avait bien quelques-uns qui sympathisaient à leur cause, mais jamais autant que Steve Marquis. Cependant, pour la plupart, cette initiative indépendante, hors système, était juste tolérée, considérée comme une nuisance, une autre source de possible dérangement de l'ordre public. Et c'était un grand sujet de blagues au poste. Une gang de femmes qui vivent ensemble, c'est une gang de lesbiennes. Qu'est-ce qu'elles pouvaient bien faire là-dedans le soir, demandaient-ils, goguenards, à leurs collègues féminines. Des méchantes orgies ?

Leur chef servit une remontrance à Régine : « On vous l'avait dit. Y sont dangereux, ce monde-là. C'est ça qu'y arrive, madame, quand on fait juste à sa tête. »

25.

« L'humilité est la plus grande liberté. Tant que vous devez défendre le moi imaginaire que vous croyez important, la paix du cœur vous est refusée. »
THOMAS MERTON

Ce soir-là, au souper, l'énergie s'épaississait d'instant en instant. Les huit étaient encore secouées. Elles avaient passé l'après-midi à rassurer les itinérants qui ne s'étaient pas sauvés et à remettre de l'ordre. Ce qui les avait beaucoup troublées, c'était l'intervention policière massive et la présence envahissante des médias. Après tout, La Maison était leur refuge. Elles avaient choisi d'y vivre pour être dans le monde, mais pas de ce monde-là.

Régine sortit enfin de son mutisme, et c'est de façon très émotive qu'elle s'adressa aux filles.

– J'ai des choses importantes à vous dire. J'aurais dû parler avant, cela nous aurait peut-être évité les soucis et la tension que nous vivons présentement. Je dois m'excuser auprès de vous. Malgré toutes ces années passées ici à apprendre, à me transformer et à enseigner, il m'aura fallu cette situation critique pour ouvrir mon cœur et vous parler de mon passé. En ce sens, vous avez toutes été plus braves que moi. Je suis tellement reconnaissante des efforts de chacune pour se défaire des pelures de son ego, une à une, jusqu'à la transparence. Vous êtes mon inspiration. Vous m'aidez à trouver le courage d'être fidèle à ce qui jaillit de ma propre âme. Je sais vous avoir répété à quel point il était important de ne pas juger notre vie, de ne pas nous juger et de faire de même avec les autres. C'est la voie de l'ouverture du cœur. Malgré ce que je pensais, je n'y étais pas véritablement arrivée puisque je continuais à taire mon passé et les circonstances de la création de cette maison. Je pensais ainsi préserver ma paix intérieure. Je suis cette enseignante qui enseignait ce qu'elle devait apprendre.

Linda sourit et laissa échapper un soupir de soulagement. Enfin…

– Vas-y, Régine, on est de tout cœur avec toi.

Les sept, très attentives, écoutèrent le récit de Régine. Le temps n'était pas aux palabres, les questions viendraient plus tard ou jamais.

– Vous vous êtes peut-être déjà demandé comment La Maison était née. Tout ce que vous savez, c'est que l'édifice m'appartient et que je l'ai reçu en héritage de mes parents. Ce qui est vrai. Cependant, une partie de l'argent qui sert à la faire fonctionner depuis des années provient de mes ressources personnelles, acquises à une autre époque et de manière illégale. Et que j'ai placées avantageusement.

Morgane eut un petit rire.

– Je le savais que t'étais pas parfaite !

Laurence lui fit signe de se taire. Régine ne prit pas la peine de lui répondre tout de suite.

– À vingt ans, je suis tombée amoureuse du plus beau gars du monde, Pierre, un trafiquant de dope, sosie de Jim Morrison, que j'avais rencontré lors d'un party à la Place des Nations pendant l'Expo 67. J'étais folle de lui comme on peut l'être à cet âge-là. En fait, je l'aimais plus que moi-même, ce qui n'était pas bien difficile. On expérimentait les drogues, le sexe, on se déniaisait, c'était dans l'air du temps. Pierre était bourré de fric, on sortait tous les soirs, on rencontrait toute une faune trippante, peintres, chanteurs, sculpteurs, tous ceux qui étaient à l'avant-garde des changements de l'époque. Ses activités ne me posaient aucun problème moral, au contraire, j'avais l'impression de mener la vie la plus excitante qui soit. Puis, les choses ont changé, Pierre m'a dit que l'argent ne poussait pas dans les arbres et qu'il avait besoin de moi pour sa business. Il m'a demandé de faire la mule pour son compte, de rapporter de l'héroïne et du hasch du Maroc. Au début, j'étais affolée. On était en 1969, l'étranger nous apparaissait plein de dangers. Je me voyais mal seule dans un pays si lointain, mais j'étais tellement amoureuse - ou plutôt dépendante - de lui que j'aurais tout fait pour ne pas le perdre. J'ai donc fini par accepter puis prendre goût à me voir si intrépide, appréciée et aimée, du moins le croyais-je. Pour dire vrai, les rencontres se faisaient dans des chambres d'hôtels chics avec des types bien élevés, des Français expatriés, pas au fond d'un souk labyrinthique. J'ai appris à évaluer la qualité de la dope, à en rapporter davantage. J'ai fait plusieurs allers-retours. Je traversais les douanes dans une espèce de transe. Je me suis découvert un goût immodéré pour l'argent. Tout ce fric me sécurisait. J'ai engrangé en masse sans le moindre souci, absolument inconsciente du fait que ce que je rapportais pouvait briser des vies. Puis, je me suis fait prendre comme cela arrive inévitablement dans ce genre de game, je me suis tue au tribunal, j'ai pris douze ans, j'en ai fait quatre. Pierre s'est évaporé dans la nature. Tout à ma survie, je n'ai pas été affectée outre mesure par sa disparition. Je suis fille unique, mes deux parents étaient décédés depuis quelques années déjà. Je faisais mes deuils rapidement, du moins c'est ce qu'il me semblait. Je me suis quand même retrouvée bien seule avec un moi débriscaillé. En prison, j'ai pris la mesure du vide qui m'habitait. Tous mes fragments ne formaient rien de solide. Une longue période sombre a commencé. J'ai eu le temps de repenser à mes années de folie, qui avaient passé si vite. Aux tourments imposés par ma dépendance affective. J'ai aussi beaucoup écouté les autres détenues. J'en ai tant entendu raconter les histoires « d'amour » qui les avaient fait choisir la voie de l'autodestruction et de la criminalité. Tout ce qu'elles avaient fait pour être aimées, juste un peu même, à n'importe quel prix. Elles étaient comme des miroirs. Au début, seule la lecture me lavait de cette douleur collective. Je me suis mise à fréquenter la bibliothèque à la recherche de textes éclairants. Puis, j'ai appris tranquillement à méditer ou, du moins, à faire taire les mille voix en moi. À la fin, la prière était le meilleur moment de mes journées. Dans un lieu si ténébreux, il m'a fallu trouver un refuge de lumière pour ne pas perdre la raison, devenir dangereusement amère et suicidaire. La lecture du *Château intérieur* de Thérèse d'Avila m'a pour ainsi dire sauvée. La quête d'absolu de cette grande mystique m'a prise au cœur. J'aspire toujours à cette profondeur que je ne suis pas certaine d'atteindre, mais à laquelle je m'applique.

À ma sortie, c'était décidé, j'allais prendre possession de la maison familiale du Vieux-Montréal et utiliser mon argent mal acquis pour réparer le mal que j'avais pu causer. Je passerais désormais ma vie à servir et à tenter de faire du bien aux autres. À l'époque, encore toute pétrie de culpabilité, je voyais cela comme une forme de rédemption. Et c'est, malgré les difficultés, ma joie quotidienne depuis plus de trente ans déjà.

Régine poussa un long soupir. C'est dit.

– Je me sens déjà mieux. Nous allons pouvoir maintenant nous occuper ensemble de nos problèmes avec plus de clarté. Nous reparlerons de tout ça, c'est sûr.

Les filles étaient émues. Pour le moment, elles n'avaient pas besoin d'explications supplémentaires. Seule Morgane semblait dubitative. « Chaque être humain est l'enseignant d'un être humain, mais aussi l'élève d'un autre. Il ne faut jamais mettre personne sur un piédestal, c'est une dure leçon sur le chemin spirituel, lui dit Régine. Je retourne dans ma caverne, il y a encore beaucoup à faire. À plus tard. » Elle prit le chemin de la salle de méditation. Les filles, épuisées, décidèrent de sauter la prière du soir.

26.

Lors de l'esclandre et de l'intervention policière, Jonathan Pelletier, le spécialiste du fait divers bien dégueulasse, fut affecté à l'événement. Le fouille-merde de service traquait les bandits à la petite semaine, les assistés sociaux fraudeurs du système, les pédophiles, les agresseurs sexuels, les propriétaires de restaurants et de logements insalubres. Il considérait comme du journalisme le fait de les exposer à la une de sa feuille de chou. Rien ne l'arrêtait dans sa chasse aux petits. Il s'était mis sur le cas de Régine en se léchant les babines. Une bonne femme qui dirigeait un genre de couvent et tenait une soupe populaire. Une autre hypocrite qui voulait faire la sainte. Il allait lui régler son cas. Parmi les nombreuses choses qui l'écœuraient dans le monde, les maudites bien-pensantes et les féministes à moustache occupaient la tête de son palmarès. Ceci expliquant cela, Jonathan, la jeune trentaine, avait été mis au monde et élevé par une de ces « folles », célibataire de surcroît. Une mère qui ne s'était pas suffisamment occupée de lui, toujours à courir de-ci de-là. Une prof de cégep militante de toutes les causes imaginables. Il lui en voudrait jusqu'à la fin de ses jours de l'avoir privé d'un père qui lui aurait montré à vivre comme un vrai homme, selon l'idéal qu'il s'était fabriqué. Il ne s'en remettait pas, de son mal de mère.

Ce n'était pas bien sorcier, il commençait invariablement par la recherche de casier judiciaire. Bingo ! C'était encore plus juteux qu'il aurait pu l'imaginer. Il s'empressa d'en avertir son chef de pupitre.

– Je l'ai, la tabarnak ! Imagine-toi donc que la madame a fait du temps au début des années 1970 pour transport et importation d'héroïne. Je m'en viens au journal pour trouver des photos d'archives et écrire mon papier. Garde-moi le *front*, tu le regretteras pas !

Régine avait parlé au bon moment. Laurence, un peu plus au fait que les autres, collait les morceaux du puzzle. C'était donc cela. Les Langlois, qui convoitaient la maison et le terrain, avaient utilisé tous les moyens qu'ils connaissaient et avaient sans le savoir fait chanter Régine.

27.

Le lendemain matin, elles trouvèrent le journal dans la boîte aux lettres. Linda leur raconta les derniers développements, les offres d'achat refusées. La rapacité des promoteurs. Maintenant, la Ville s'en mêlait plus directement. Le maire et un conseiller souhaitaient faire une visite de La Maison et parler à Régine, l'après-midi même. Aucune amende n'avait encore été reçue malgré l'irrégularité de la situation. Les élus subissaient les pressions de Langlois Holding et ne souhaitaient pas attirer davantage l'attention sur l'affaire. Quand les deux hommes se présentèrent, Régine et Linda les attendaient dans le réfectoire. C'est Marie-Maude qui leur servit de guide. Ils visitèrent La Maison presque au pas de course. L'examen des installations n'était pas vraiment le but de leur visite.

Puis, elles furent questionnées sur la soupe populaire et les autres activités de conseil, d'aide médicale et spirituelle. Les trois femmes ne leur apprirent rien qu'ils ne savaient déjà. Ils avaient été bien briefés sur les pensionnaires. « Deux ex-détenues, une médecin amochée, une escorte, une danseuse, une voyante, une cuisinière. Je me demande bien ce que ça peut donner comme bons conseils », s'étonna le maire. Très calmement, Régine lui expliqua brièvement la démarche de chacune, la nécessité d'aider les autres pour se guérir soi-même. Mais, surtout, elle mit l'accent sur l'œuvre globale de La Maison, qui était de donner temps et hospitalité aux plus atteints par la brutalité de la société. Cela n'eut pas l'air d'émouvoir le maire outre mesure. Le conseiller ajouta :

– Vous savez, depuis les troubles récents et la violence, beaucoup demandent la fermeture de La Maison. Pas seulement les habitants du quartier. On parle de vous tous les jours dans les tribunes téléphoniques. Les gens se demandent comment la Ville a pu vous tolérer aussi longtemps. Ça paraît mal. Nous allons être obligés de faire fermer vos portes bon gré mal gré. Vous devrez la vendre, votre maison. Aussi bien négocier avec les meilleurs acheteurs. Vous en avez assez fait pour la communauté, madame Régine. C'est le temps de prendre votre retraite. À ce que je sache, ça doit bien valoir une couple de millions, cette maison-là. Vous pourriez vous la couler douce ailleurs. Me semble que vous devez avoir des amis au Maroc, termina-t-il mielleusement.

Régine ne releva pas la remarque.

– Messieurs, faites ce que vous devez faire. Mais je n'ai nulle intention de vendre. Vous pouvez nous envoyer vos inspecteurs, je consens à faire effectuer les travaux nécessaires pour que La Maison respecte les normes si ce n'est pas le cas. Nous attendrons la suite. Pardonnez-moi, j'ai du travail.

En les raccompagnant vers la sortie, Linda prit le maire à part et, le regardant dans les yeux, lui dit simplement : « Je vois votre femme, elle est en grande détresse en ce moment. Dites-lui que je peux l'aider. » L'homme fut parcouru d'un long frisson et ses yeux s'embuèrent. Cette phrase le stupéfia. La chaleur qu'il ressentit perça son armure. Pour la médium, le reste n'était qu'une question de temps.

28.

La soupe populaire était toujours fréquentée. L'attention médiatique avait fait croître le nombre d'assistés au début, mais les fidèles demeuraient. Quelques curieux avaient tenté de s'infiltrer pour voir ce que faisaient ces bonnes femmes-là. Ils avaient été doucement mais fermement repoussés par Giselle. Les huit vaquaient à leurs tâches quotidiennes et à leurs habituels exercices spirituels. L'intimidation avait cessé hors des murs, l'atmosphère des repas du midi s'était pacifiée. Laurence avait particulièrement soigné ses menus, usé et abusé de ses vaporisations lénifiantes. Giselle était allée au-devant du jeune peuple de la rue avec plus de ferveur encore. Nathalie avait pris la charge d'un petit groupe de femmes violentées, ce qui était le meilleur indice de son rétablissement. Linda, Marie-Maude et Hélène recevaient plus de gens pour les massages et les consultations. Les donateurs, outrés par le sort réservé aux filles, se montraient particulièrement généreux. Mais, au fil des semaines, une ombre continuait de planer sur La Maison.

Les Langlois avaient cessé l'intimidation mais continuaient leurs représentations et ne relâchaient pas la pression auprès des élus. « Tous les moyens sont bons pour la faire vendre, la tête de cochon ! Viarge, ça coûtera ce que ça coûtera. Graissez la patte aux fonctionnaires, au maire, à toute la gang, t'as le tour d'habitude, mon Frédérick », répétait Marcel. Il avait fait de l'opposition de Régine une affaire personnelle. Ce ne serait pas aujourd'hui, à son âge, qu'une femme se mettrait en travers de son chemin.

Un jour, aux aurores, Linda reçut un appel du maire lui demandant de venir chez lui, le plus discrètement possible. Elle en glissa un mot à Laurence, qui était déjà à ses chaudrons. Elle savait que cela viendrait un jour ou l'autre, elle ignorait seulement la date et l'heure. En arrivant, Linda vit l'homme fatigué, fébrile, terriblement inquiet. Il s'était toujours accommodé des excentricités, des dépressions, des variations abruptes de l'humeur de sa femme, mais là, c'en était trop. Sa Liliane disait être certaine d'avoir quelque chose en elle. Si ça n'avait été que ça. Elle ne quittait plus sa chambre et s'affaiblissait chaque jour davantage. Linda demanda à la voir en privé. Le maire fit les présentations. « C'est mon dernier recours, c'est Linda, mon cœur, une femme qui m'inspire confiance. Tu pourrais lui raconter tes histoires. Ça va te faire du bien. Je vous laisse entre vous. » La médium s'installa au pied du lit, se recueillit et écouta, en total état de réceptivité. Au fil de la conversation, elle sentit une présence invisible négative et lourde. Elle en fit part à Liliane.

– Vous voyez, c'est de ça que je parle depuis des mois, et tout le monde pense que je suis plus folle que jamais.

– Depuis quand vous sentez-vous parasitée ? demanda Linda.

Liliane lui raconta qu'elle avait été hospitalisée pour une grave maladie dont elle avait bien récupéré. Mais, en sortant de l'hôpital, guérie, elle sentait que quelque chose l'habitait qui la dévastait. Linda respira profondément.

– Vous savez, les hôpitaux sont remplis d'entités malheureuses, les âmes errantes de décédés surpris par la mort et qui s'accrochent aux vivants.

En continuant à la faire parler, Linda fit ce qu'il fallait. Elle se concentra, éleva son taux vibratoire et visualisa l'entité jusqu'à la toucher.

– Qu'est-ce qui m'arrive ? Je me sens très mal.

Linda la rassura :

– Ne vous en faites pas, je chasse ce qui vous habite.

Cela lui demanda plus d'énergie que les « Ouste ! Ouste ! » de son enfance, mais au bout de dix minutes l'entité n'était plus là.

– Vous allez être mieux. Je vous laisse récupérer et je vous rappellerai dans la semaine.

Elle lui demanda de mettre sous sa langue quelques gouttes de l'élixir de malachite qu'elle avait apporté. Linda alluma un bâton de sauge du désert dont elle se servit en fumigation autour du lit.

Liliane s'endormit tranquillement et Linda s'éclipsa. Elle s'empressa de retourner à La Maison, elle avait hâte de se retrouver dans ses bras.

C'est le maire qui lui téléphona le premier. « Je vous remercie infiniment d'avoir ramené ma femme à la réalité », lui dit-il.

Cela ne manqua pas d'amuser la médium. Puis, sa femme l'appela, peu après.

– Aujourd'hui, je me sens complètement libérée, mais pendant quelques jours, après votre intervention, j'ai éprouvé un terrible vide.

– C'est normal.

Elle la rassura et lui souhaita le meilleur.

Linda ne put s'empêcher de songer à la dangereuse nostalgie du mal, à cet attachement au connu même s'il est source de souffrance. Elle inclut Liliane dans ses prières quotidiennes.

29.

Le surlendemain, une ambiance de joie régnait autour de la grande table du souper. L'atmosphère bruissait doucement de gratitude envers les cuisinières et de contentement après un repas parfait. Laurence avait préparé des mets simples mais vraiment délicieux. Toutes s'étaient régalées de son poulet rôti à l'ail et de sa garniture de salade verte avec vinaigrette tiède aux jus de poulet, herbes fraîches et croûtons. Un cake dense à la farine d'amandes et parfumé au citron accompagné de thé vert fleuri avait mis un point d'orgue à ce souper de filles. Laurence cuisinait souvent avec Marie-Maude dans un presque silence et une télépathie joyeuse. Le meilleur moyen pour elle de transcender tout souci. Régine avait recommandé à celles qui avaient l'habitude de boire du vin à table de ne pas le faire, ce qui était plutôt inhabituel. Car à La Maison, on considérait que, loin de les renier, une spiritualité incarnée comprenait une saine appréciation des plaisirs charnels. La privation n'était pas bonne pour l'âme, sauf si elle enseignait à ne plus souffrir, une perspective pour le moins non traditionnelle. Mais ce soir, il fallait discuter, tête froide et cœur ouvert, de l'action à entreprendre pour retrouver la paix. Le vin avait donc été remplacé par une eau aromatisée au sureau concoctée par Laurence.

De sa voix à la fois douce et un peu rauque, avec sa tendresse coutumière, sans jamais prendre le ton du prêche, Régine demanda l'attention. Chacune sentait que ce que la doyenne s'apprêtait à dire viendrait de la Source en elle. La femme rondelette, tresse argentée bien nattée dans le dos, yeux clos derrière les lunettes rondes qui lui donnaient l'air d'un petit hibou, portait une parole inspirée. « Je sais que nous sommes affligées depuis des semaines par une situation sur laquelle nous avons l'impression de n'avoir aucune emprise. Les raisons apparentes du vandalisme à La Maison, de l'intimidation et des attaques contre nos amis de la rue nous ont révoltées. Pour le moment, nos tourmenteurs semblent tranquilles, mais nous n'avons aucune idée du dénouement de la situation. La Ville nous obligera-t-elle à fermer nos portes ? Cela nous inquiète, nous laisse dans l'inconfort. Nous l'avons vu, les plus miséreux n'ont aucune valeur aux yeux de gens comme les Langlois. Ils s'égarent dans des états de séparation qui sont absolument inhumains. Ils ne sont pas les seuls en notre monde à entretenir ces croyances qui créent et sèment la désolation autour d'eux et, irrémédiablement, en eux aussi. Ils sont comme des morts-vivants, déconnectés de toute conscience.

Pour notre intelligence, cette façon de faire du mal n'a pas de sens, c'est un scandale. Il est aussi difficile pour notre mental de saisir le sens du mal qu'il l'est pour quelqu'un qui ne l'a jamais éprouvé de comprendre une peine d'amour, la perte d'un enfant ou encore une expérience spirituelle. Mais l'Univers n'est pas un système intellectuel, c'est un immense organisme vivant en continuelle conversation. Choisissons donc d'aborder le mal d'un autre angle. Disons-nous qu'il est nécessaire pour que l'équilibre soit maintenu, en quelque sorte. Comme dans un tableau réussi, les conflits entre couleurs, textures, personnages sont nécessaires pour que l'œuvre nous touche. Cette situation particulière va nous obliger à la transcendance. Ce n'est que la phase négative qui précède toute construction. Si cela peut vous rassurer, à mesure que le pendule approche du pôle négatif, le retour du positif est de plus en plus imminent. »

> « Un problème ne peut être résolu au niveau de conscience et par le même esprit que celui qui l'a créé. »
> ALBERT EINSTEIN

« Nous n'avons pas besoin d'une action en surface à l'heure actuelle, nous avons besoin d'un travail en profondeur. Nous allons tenter par les seuls moyens que nous pratiquons ici de restaurer notre paix. Nous n'entreprendrons aucune action visible. Cela exigera un effort constant de notre part. De certaines plus que d'autres, dit-elle en les regardant affectueusement. Ne rien faire nous renvoie toujours à notre vulnérabilité d'êtres humains. Mais, je vous en conjure, il nous faut nous engager davantage sur la seule voie possible, celle de la compassion infinie. La paix n'implique pas la guerre, défendre l'Amour n'implique pas la haine, l'humanité a besoin d'une mutation radicale. Le changement de niveau de conscience, la révolution des cœurs, voilà le vrai chemin de l'évolution. Aussi longtemps que nous essaierons de changer uniquement les conditions extérieures, nos efforts seront vains. Il nous faut réaliser la paix en nous. Il y en a pour penser qu'un tel conseil est égoïste, erroné et irresponsable. Laissons-les à leurs jugements. Parce que chaque fois que quelqu'un guérit, cela est ressenti dans tout esprit et tout cœur existant dans l'Univers. Et les gens sont de plus en plus nombreux à soigner leurs blessures. Si nous avons une responsabilité envers les autres, c'est de réaliser la paix et l'ouverture en nos propres cœurs. Ce qui agit puissamment sur autrui est avant tout vibratoire, c'est notre qualité d'être, résultant d'une alchimie intérieure, qui informe tout ce qui vit autour de nous, bien au-delà du monde visible. »

Elle poursuivit: « Le grand nombre a encore tendance à croire que seul le visible existe, qu'il est LA réalité. Mais ce que je sais, c'est que la qualité de ce qui nous habite a un effet vibratoire sur notre entourage. Tout se passe sur un plan quantique. Nos prières, nos pensées d'amour comme de haine sont des ondes qui voyagent et s'arrêtent dans les lieux où une pensée semblable existe déjà. La plus petite action affecte l'ensemble de l'univers, c'est-à-dire nous-mêmes. On ne peut rien faire sans le faire à soi-même. Certaines actions peuvent avoir eu lieu dans un passé récent ou pas, mais comme toute énergie est enregistrée, que tout dans l'Univers est écoute aussi bien que parole, la réplique arrive en temps et lieu. Il n'y a pas d'accident. Nous avons encore du mal à croire que chaque acte est un boomerang qui frappe l'émetteur avec une précision d'horloger. Toutes les actions accomplies et les pensées les plus fugaces agissent sur l'ensemble et changent quelque chose dans l'Univers. Les mystiques, les saints et les chamanes enseignent cela depuis des siècles. Je vous éviterai, ce soir, un aparté sur le caractère exponentiel des conséquences des insanités propagées via les réseaux sociaux. Toute cette énergie inconsciente lancée tous azimuts à une vitesse folle ajoute inexorablement à la densité du monde. Mais elle ne pourra retarder indéfiniment la marche de la transformation.

Nous sommes toutes en route et on ne peut pas avancer plus vite que celui qui va le plus lentement. On ne doit abandonner personne en chemin. Pas plus les Langlois de ce monde et leurs acolytes que nos itinérants, les prisonniers et tous ceux qui vivent dans leurs illusions. Tous réclament la douceur absolue. Il existe une essence merveilleuse, la Source, qui regarde autant dans le cœur du criminel que dans celui de la victime. Tous deux réclament l'amour et l'acceptation, et ce n'est pas à nous de refuser de leur offrir. Je nous invite à donner cela au monde. Nous avons tous et toutes assez souffert.

La lumière est en nous, elle ne peut refuser de briller. Nous l'appellerons ce soir de toutes nos forces. »

Régine fit un signe de tête entendu à Linda, qui prit la parole. « Marie-Maude, Nathalie, Laurence, Giselle, Hélène, Morgane, nous sommes ici parce que nous vibrons à la même intensité, que nos cœurs sont ouverts malgré tout ce que nous jugeons encore parfois comme nos fautes. Nous sommes des sœurs, appartenant à la même lignée d'âmes. Nous invoquerons ensemble la Source qui est en chacune de nous et en chaque être vivant, ce soir et aussi longtemps qu'il le faudra, pour éclairer nos pensées, nos décisions, nos actions. Celles des Langlois et celles de la mairie. Sans attendre de résultat… »

Les filles étaient silencieuses, remuées au-delà de toute sentimentalité, comme lorsqu'on entrevoit la vérité, que ça contracte le cœur et que c'est trop bon en même temps. Certaines essuyaient leurs larmes. Elles ne pouvaient s'empêcher de se prendre dans les bras les unes des autres, réalisant la perfection d'être là, à ce moment précis de leurs vies. Dans son fauteuil roulant, c'est Hélène qui ouvrit le petit cortège en direction de la salle de méditation. « Venez, il nous faut commencer le travail maintenant. » Les autres suivirent bras dessus, bras dessous. Dans La Maison au cœur de la ville, tout était parfait.

30. Chant d'amour

> « Le mal est l'illimité, mais il n'est pas l'infini. Seul l'infini limite l'illimité. »
> SIMONE WEIL, *La Pesanteur et la Grâce*

Les filles entamèrent leur marche avec une intensité particulière. Sept fois le tour du grand cercle imaginaire. Elles se sentaient portées, comme si elles avaient des ailes aux talons. Ce fut une Morgane renouvelée qui fit la première invocation :

> « Que tout ce qui n'est pas sacré, que tout ce qui n'est pas Amour soit éliminé de cet espace. Que la plus grande lumière nous inonde, que nous soyons guidées. »

Chacune prit sa place. La fumée de sauge et de copal mêlés faisait office de bulle protectrice. Assises dans le silence, paupières closes, elles respirèrent ensemble, présentes à elles-mêmes, jusqu'à être envahies par un calme océanique, l'état de vraie contemplation au-delà de la conscience. Emportées par cette vague silencieuse de grâce, elles avaient l'impression de circuler dans tous les mondes.

Au bout de ce qui sembla quelques minutes, Régine commença sa psalmodie :

> « Passons de la croyance à la foi véritable. Faisons un saut quantique. Changeons de dimension. Nous sommes toutes prêtes. Il est temps de franchir le seuil. Souvenons-nous de la Source en nos frères et sœurs et en nous-mêmes. Unissons-nous dans le pardon parfait, dans l'Amour sans conditions et la situation sera rectifiée. Qu'il en soit ainsi.
>
> Des foyers irradiants d'Amour de nos cœurs, nous nous dédions au processus de transformation des forces sombres de la vie qui ne sont ni diables, ni démons, ni Langlois, mais peur, culpabilité, jugement et séparation. Réunies dans la compassion pour nous-mêmes et pour tout le vivant, dans l'ouverture inconditionnelle, nous infusons de la lumière dans la noirceur. Nous aidons à réinstaller un équilibre sacré. Nous opérons un changement de fréquence dans l'Univers. Que nos pensées fortes et pures nettoient le monde, neutralisent les vibrations contraires et transforment les possibles. Qu'il en soit ainsi. »

La pièce était inondée d'une énergie d'une indescriptible beauté, comme si des étincelles retournaient au feu central. Dans la nuit, même le sceptique aurait pu voir La Maison irradier d'une intense lumière rose dorée. Tout était parfait.

Il était tard, Linda les ramena sur terre et conclut la séance.

31.

« Cette conviction émotionnelle profonde de la présence d'un pouvoir supérieur de raisonnement, qui se révèle dans l'univers incompréhensible, forme mon idée du Divin. »
ALBERT EINSTEIN

Au bout de quelques mois, par un jour de printemps lustral, alors qu'elles avaient repris leurs activités avec une légèreté renouvelée, Régine reçut une lettre par courrier recommandé. Des ingénieurs de la Ville passeraient faire une inspection des lieux. Si elle consentait à se conformer à leurs recommandations, La Maison pourrait continuer son œuvre sous le patronage discret du maire, qui les assurait de la pleine collaboration de tous les services municipaux.

Ses directives avaient été implacables. Quiconque de son entourage serait soupçonné de malversations avec les Langlois de ce monde ferait face à une enquête policière et devrait assumer la responsabilité de ses actes.

Quant aux Langlois, ils poursuivirent leurs activités dans d'autres quartiers, mais avec l'impression d'avoir un caillou dans le soulier. Marcel n'avait pas obtenu satisfaction. Il était profondément bouleversé de n'être pas parvenu à ses fins. Son monde avait basculé. Tous ceux de son clan furent affectés par la déconfiture du patriarche.

Pour joindre l'auteure :
soeursdames@videotron.ca

Suivez les Éditions Stanké sur le Web :
www.edstanke.com

Cet ouvrage a été composé en EideticSerif 12,5/14,4
et achevé d'imprimer en août 2013 sur les presses
de Marquis imprimeur, Québec, Canada.

certifié

procédé
sans chlore

100 % post-
consommation

archives
permanentes

énergie
biogaz

Imprimé sur du papier 100 % postconsommation,
traité sans chlore, accrédité Éco-Logo et fait à partir de biogaz.